ALESSANDRA VASQUES

IDENTIDADE
Qual é a sua?

EDITORA
Labrador

Copyright © 2021 Alessandra Mendonça Vasques Ferreira
Todos os direitos desta edição reservados à editora Labrador.

Coordenação editorial
Pamela Oliveira

Capa
Amanda Chagas

Assistência editorial
Larissa Robbi Ribeiro

Projeto gráfico e diagramação
Felipe Rosa

Revisão
Laura Folgueira
Vivian Sbravatti

Imagens da capa
Unsplash, Rawpixel e Max Pixel

Dados Internacionais de Catalogação na Publicação (CIP)
Angelica Ilacqua CRB-8/7057

Ferreira, Alessandra Mendonça Vasques
   Identidade : qual é a sua? / Alessandra Mendonça Vasques Ferreira. -- São Paulo : Labrador, 2021.
   144 p.

ISBN 978-65-5625-127-1

1. Autoajuda 2. Autoconhecimento 3. Desenvolvimento pessoal I. Título

21-1092   CDD 158.1

Índice para catálogo sistemático:
1. Autoajuda

Editora Labrador
Diretor editorial: Daniel Pinsky
Rua Dr. José Elias, 520 – Alto da Lapa
05083-030 – São Paulo – SP
+55 (11) 3641-7446
contato@editoralabrador.com.br
www.editoralabrador.com.br
facebook.com/editoralabrador
instagram.com/editoralabrador

A reprodução de qualquer parte desta obra é ilegal e configura uma apropriação indevida dos direitos intelectuais e patrimoniais da autora.

A editora não é responsável pelo conteúdo deste livro. A autora conhece os fatos narrados, pelos quais é responsável, assim como se responsabiliza pelos juízos emitidos.

Só é oculto o que não queremos ver. A inquietude positiva desperta a sua verdadeira identidade.

*Aos meus filhos, Arthur, Miguel e Mariah,
que me ensinaram o que é o amor sem limites,
o maior e mais forte que existe.*

SUMÁRIO

PREFÁCIO 9

APRESENTAÇÃO 13

O QUE ESTÁ ACONTECENDO? 19

VOCÊ SE IDENTIFICA? 27

LIMITAÇÕES PASSAGEIRAS 36

AMPLIANDO A CAPACIDADE DE EVOLUIR ATRAVÉS
DE BONS HÁBITOS 45

    Pensamento positivo 47

    Alimentação 48

    Exercícios 50

    Leitura 51

    Sono 53

    Planejamento 54

    Meditação 55

    Escrita 56

Gratidão 57
Orai e vigiai 59
AUTOCONHECIMENTO 62
PRATIQUE O AUTOPERDÃO 72
COMO ESTÁ SUA CRIANÇA INTERIOR? 81
FUJA DO VITIMISMO 90
COMO VOCÊ LIDA COM SEU EGO? 100
AUTONOMIA EMOCIONAL 107
ESTEJA AO LADO DE PESSOAS QUE AUMENTEM SUA MÉDIA 114
BENEFICIE-SE DE SEUS PONTOS FORTES 121
SENTIR PARA FAZER SENTIDO TORNA SUA JORNADA
MUITO MAIS ENCANTADORA 128
QUEM É VOCÊ? 135
AGRADECIMENTOS 142

PREFÁCIO

Alessandra, como falar de nossa amizade, que é a base de tudo? Temos a confiança, o respeito, a dedicação, a troca e a cumplicidade.

Durante nossa vida, temos muitas histórias e momentos, e você é uma amiga de verdade, aquela amiga especial.

Admiro o ser humano que você é, a sensibilidade que tem, o carinho que dá a todos.

A cada dia buscando sua essência, sem julgar ou condenar, seguindo sempre sua intuição, ouvindo e acolhendo com sentimentos fraternos. Nos momentos difíceis, você conseguiu fazer sua reflexão no dia a dia.

Quando se sentia cair devido ao tanto de emoções que sentia, sempre estive ao seu lado para suavizar sua queda, pois temos algo a ensinar uma para a outra, e essa, eu sei, é nossa missão.

Definir você é uma tarefa muito difícil e dou muito valor ao dia em que a encontrei.

São tantas aventuras!

E hoje estou aqui para te dar os parabéns pelo seu sonho realizado: o seu livro... Sou testemunha de seu compromisso, de sua dedicação e do amor que você empregou em cada página deste livro. Que seja o início da melhor fase de sua vida e que eu continue ao seu lado em todas as outras que virão. Que Deus continue te abençoando sempre.

Alessandra iniciou seus trabalhos voluntários aos 22 anos de idade. Tem atuado na comunidade da Zona Noroeste de Santos/SP com um grupo terapêutico, ajudando as pessoas a eliminar bloqueios, traumas e timidez, a se expressar melhor, a ser livres e a se relacionar melhor com o mundo.

Em suas aulas de crescimento interior, sua missão é preparar as pessoas e harmonizá-las, movendo-as para o equilíbrio da saúde mental e da paz para uma Nova Consciência.

Não há nada melhor para a saúde mental do que a constante reflexão sobre as atitudes, os desejos, as angústias, os medos e os planos. Acrescentar mais conhecimento é o melhor caminho para podermos nos avaliar quanto a nossas qualidades e defeitos, e este livro nos ensina essa busca, para tornarmos nossa vida mais feliz, tranquila e plena. No decorrer dos capítulos, fazemos um balanço e percebemos quais são os pontos que devem ser valorizados em nós e os que devem ser revistos. Assim, podemos ir em busca de nossos objetivos, em vez de ficar nos lamentando. O amor é fundamental para colocarmos em prática o que Alessandra nos mostra. Com a crença na força do pensamento, é possível obter uma melhor compreensão da vida e, consequentemente, uma concentração de boas energias, contribuindo para o sucesso e o equilíbrio na vida pessoal e espiritual.

Este livro é um presente para todas as pessoas que querem percorrer o caminho do autoconhecimento.

Regina Célia Cruz de Almeida
Terapeuta holística

APRESENTAÇÃO

Quando decidi escrever sobre este assunto, achei que seria fácil, afinal, eu ensino sobre autoconhecimento. Acreditei dominar essa matéria e, quanto mais eu estudava, mais percebia a complexidade do tema, o quanto ele pode ser profundo e também sua importância.

O mergulho no autoconhecimento é uma jornada que demanda esforço, tempo, energia e, por que não dizer, coragem. Mas é uma jornada para a qual não existe linha de chegada, e a caminhada é construída por um passo atrás do outro, ação, reação e validação.

Quando falo de coragem, estou falando de minha real disponibilidade em me reconhecer no papel que me cabe (e essa deveria ser a disponibilidade de todos), sem máscaras, sem rótulos, simplesmente sendo eu mesma, com minhas falhas, minhas dores e meu tão presente ego.

E, se antes eu não via essas minhas falhas, isso era devido à minha incapacidade de mergulhar fundo em mim mesma e me ver como sou de fato, e não como acho que sou ou gostaria de ser.

Nesse processo de autodescoberta, identifiquei o que eu fazia e a maneira como eu estava no mundo, e isso me levou a perceber que minhas ações tinham eu mesma como objetivo. Meus comportamentos eram resultado de minha busca por minha mais profunda essência. No entanto, diferente do que possa parecer, não se tratava de egocentrismo, mas do desejo pelo autoconhecimento.

Quando minha consciência submergiu nesse vasto e quase insondável oceano de incertezas, me perguntei quem eu seria de verdade. Há todo um conjunto de rótulos atrás dos quais nos escondemos, desejosos de nos encaixar no mundo como supomos que o mundo quer nos ver encaixados. Mas e nós, o que queremos? Quem desejamos verdadeiramente ser? Quem sou eu e quem posso ser? E a resposta a esta última pergunta se tornou mais clara para mim quando encarei com autonomia a profundidade dessa questão.

No entanto, encarar a nós mesmos não é uma tarefa agradável, e exige que assumamos a responsabilidade por tudo aquilo em que não nos encaixamos sem que nos esforcemos para mudar de situação. Assim, quando trabalhei a autorresponsabilidade, quando entendi e aceitei que eu mesma sou a agente de minhas mudanças, saí do papel de vítima, comecei a entender minhas ações, me acolhi e ajustei meus comportamentos.

E esse encontro foi se tornando cada vez mais agradável e leve, porque eu estava partindo do vazio para me preencher.

Esse encontro comigo mesma, esse início de autodescoberta, começou a despertar em mim mais verdade, mais presença e harmonia, e quando a consciência ganhou espaço, consegui me enxergar no caminho do progresso. Passei a olhar querendo ver, e esse desejo foi me tornando mais atenta aos sinais, a ponto de a sincronicidade de todas as coisas começar a fazer mais sentido, e, assim, fui entendendo melhor os recados do universo, com mais humildade e sabedoria.

A partir dessa descoberta e dessa aceitação, tudo passou a não ser mais como era antes. A questão não é mais o que faço, mas, sim, o porquê de eu fazer o que faço, e a conclusão a que cheguei foi a de que nada se compara a uma pessoa desperta, porque, estando despertos, somos capazes de ver e experimentar as coisas como elas realmente são.

Esse profundo aprendizado me levou ao desejo de escrever este livro falando sobre essa minha inquietude positiva diante da vida, pois essa inquietude me modificou, me tornou uma pessoa melhor, e ajudar outras pessoas a trilhar esse mesmo caminho é o próximo passo natural nessa minha jornada.

Acredito que o trabalho voluntário que venho realizando há quase vinte anos seja um grande aliado em me capacitar para falar sobre o assunto. Até aqui, foram mais de três mil atendimentos, durante os quais as pessoas dividem comigo suas histórias, angústias e conquistas. Essa rotina me presenteia com inúmeras percepções diárias, mas, entre todos esses atendimentos, um merece especial destaque, porque jamais me esquecerei dele.

Eu havia sido designada a atender uma advogada que estava passando por um momento difícil e pude sentir seu sofrimento visceral. Nosso grupo ofereceu a ela todo o apoio de que precisava, e, na semana seguinte, ela me procurou e disse: "Saiba que eu não tirei minha vida por sua causa".

Eu me emocionei muito ao ouvi-la e agradeci a Deus pela oportunidade de ser um instrumento de auxílio ao próximo. Isso me fez perceber claramente minha missão: crescer e contribuir.

Pouco tempo depois, me surgiu a oportunidade de participar de um treinamento de desenvolvimento pessoal, e aqueles dias de aprendizado se tornaram um divisor de águas no processo de meu autoconhecimento. A imersão durante aquele treinamento me colocou em contato com emoções e me permitiu descobertas que transformaram para sempre o modo como conduzo minha caminhada.

Se antes eu esperava pela sublimidade dos poucos momentos que eu julgava serem o ponto fora da curva em meus dias, agora eu havia aprendido a viver o ordinário da vida de forma extraordinária. Minha inquietude, até então vívida mas sem perspectiva de ser preenchida de modo satisfatório, agora era completada e compensada com conteúdos que me mostravam um novo caminho, métodos e soluções que tornavam meu processo de transformação algo mais palpável, compreensível e alinhado com o norte que eu desejava seguir. Munida dessa clareza, passei a entender melhor minhas emoções e aprendi a identificar e ressignificar minhas crenças, e isso facilitou o processo de me libertar de muitas limitações.

Você não encontrará neste livro regras, determinações ou fórmulas mágicas, mas sugestões, que deverão ser validadas por você caso façam sentido para sua realidade e necessidade.

O mundo já está cheio demais de convenções limitantes que dificultam que ouçamos nossa essência nos dizendo para nos livrarmos das amarras e sermos quem somos. Então, veja este livro como um amigo que te ajudará a refinar suas percepções em relação a você mesmo.

Desejo que estas páginas se tornem ferramentas de autoanálise. A ideia é que você descubra o que deseja de verdade e, com isso, avalie com maior clareza o caminho de reencontro com sua história e com a realização desses seus desejos.

Que você tenha uma jornada feliz e libertadora.

O QUE ESTÁ ACONTECENDO?

"Se existe um lugar bom, esse lugar é aquele em que não estamos."

Não, essa não é a verdade. Pelo menos, não deveria ser. No entanto, algo dentro de nós, algo que não conseguimos nomear, insiste em fazer com que sintamos que somos menos do que todo o resto, porque tudo e todos parecem funcionar, menos nós. E assim, com esse sentimento de incompletude e insuficiência tomando todo o espaço, não resta nem mesmo um cantinho em nosso interior em que possamos acomodar qualquer certeza que não aquela que nos cega à verdade de que somos o melhor lugar em que poderíamos estar.

A vida, invariavelmente, é uma rotina. Somos biologicamente programados para funcionar seguindo um padrão de repetição: dormir, respirar, acordar, respirar, comer, respirar, respirar, respirar... e repetir isso indefinidamente até que o cessar desse padrão acabe com a rotina, e com a vida. Não há problema nenhum nisso. O problema é que conduzimos essa existência permitindo sermos direcionados por outra rotina, não fundamental, e até prejudicial, ditada pelas falsas necessidades criadas pela sociedade. Assim, vamos seguindo um padrão de ações diárias que nos distancia da percepção da grandeza do agora, do nosso agora, e acabamos sendo tomados por essa sensação de que somos menos do que deveríamos ser a nós mesmos.

Algo nos falta, o tempo todo. Nossa agenda é cheia, corremos para lá e para cá a fim de resolver as demandas diárias, compramos coisas das quais não precisamos, e depois temos de comprar mais coisas para solucionar problemas que só existem porque compramos essas coisas das quais não precisamos. E temos o trabalho, os filhos, as contas... Só não temos prazer. E até a busca por ele se torna uma obrigação. Temos a obrigação de ser felizes, nos dizem. E lá vamos nós, correndo para todos os lados em busca do prazer e da felicidade, que talvez se esconda dentro de um carro novo, de um apartamento bem decorado, de mais um diploma na parede, coisas que custam dinheiro. Então trabalhamos mais, ganhamos mais, gastamos mais. E continuamos vazios, mentindo para nós mesmos, tentando nos convencer de que somos tão felizes quanto poderíamos ser. Mentimos para nós mesmos e acreditamos nessa mentira. Por quê?

Como diz o ditado, a beleza está nos olhos de quem vê. Mas nossos olhos só podem ver o que é externo a nós, então toda a beleza que podemos ver é somente aquela que está a nossa frente. O brilho de nossos olhos precisa ser refletido no outro. Vemos o outro, mas não vemos a nós mesmos. E assim, alheios a quem somos, muitas vezes vemos o outro como sendo tudo o que deve ser considerado. É como se, para continuar existindo, nos apegássemos ao outro, porque é ele que vemos e, assim, ele é tudo o que é real.

No entanto, o outro também não tem como ver a si mesmo. Pode ser que, para ele, nossa opinião seja a que importa, nosso desejo seja o que importa. E assim, enquanto nos esforçamos para ser o que supomos que o outro quer que sejamos, ele se esforça para ser o que supõe que nós queremos que ele seja, e nos tornamos todos uma imagem distorcida de nós mesmos.

Cabe a nós limpar o espelho e abrir a janela para que a luz mostre o que somos de verdade. Mas temos medo, porque, enquanto supomos ser cegos, falhamos em ver a nós mesmos, com tudo o que pensamos e desejamos.

A cegueira parece nos oferecer o conforto de poder lamentar, e a invisibilidade talvez nos garanta a segurança de não sermos julgados por essa nossa cegueira voluntária. Cegos e invisíveis, não vemos e não somos vistos, somos nada, e isso nos leva a nos perder na incerteza sobre os motivos de estarmos aqui. Cegos, invisíveis e perdidos... Impossível haver qualquer contentamento em dias arrastados em uma existência sem propósito. Tomados por esse descontentamento, começamos a nos questionar sobre nosso valor e nossas capacidades. Somos relevantes? Somos capazes? Será que conseguiremos nos fazer felizes? Estar sozinho com si mesmo é uma experiência tão árdua assim? Nós realmente já passamos por essa experiência?

E mais uma vez somos acometidos pelo peso das obrigações, como se fosse proibido às vezes simplesmente aceitar uma derrota momentânea e viver essa dor com verdade, sem maquiagens coloridas a tentar esculpir em nosso rosto uma força ou indiferença que não existe em momentos de escuridão. Então, como se participássemos de um grande campeonato em que as dores são medidas por uma régua comum a todos, nos vem à mente a pergunta: do que estou reclamando mesmo? E vamos nos forçando a diminuir o valor de nossa dor, porque o outro é o referencial, tudo do outro é mais importante do que nós, incluindo as dores.

Assim nos vemos: sem importância. Então esses pensamentos ficam ali, incomodando nossa mente e tirando um pouco do brilho de nossa alma, mas sem receber a devida atenção. A vida diária exige mais. Ela, sim, é que deve estar sob os holofotes, assim como o tempo é que deve ser considerado. Temos pouco tempo para resolver tudo e manter as coisas nos trilhos imaginários que criamos. E de novo o trabalho, de novo as obrigações, de novo as contas a serem pagas, a imagem a ser criada, o bem a ser adquirido, tudo ocupando todo o tempo de que dispomos e empurrando para longe aqueles pensamentos que refletem nossas angústias sem que elas sejam solucionadas ou que, pelo menos, recebam alguma atenção.

"É tudo besteira", pensamos. Talvez estejamos apenas sendo dramáticos demais. Ou talvez não queiramos assumir uma suposta fraqueza. A vida não é fácil, mesmo, explicamos para nós mesmos, sendo simultaneamente o sábio adulto a explicar e a frágil e inexperiente criança a ouvir. Como adultos, nos mantemos fortes, pelo menos no exterior. Como crianças, estamos assustados, sem entender o motivo de tudo, tentando encontrar uma explicação para esse liquidificador de emoções em que fomos jogados.

Somos adultos e pretendemos agir como tal, mesmo que as tais atitudes que devem acompanhar pessoas adultas não passem de uma suposição. Adultos são práticos. É simples. Crianças choram e devem ser tranquilizadas. E, assim, vamos ninando a nós mesmos, calando nossos anseios, adormecendo a verdade que sentimos aprisionada e que nos causa essa confusão.

Muitas vezes, não damos muita atenção quando nosso corpo reclama de algum incômodo. É só uma dorzinha, e não temos tempo a perder com coisas assim tão pequenas, então a deixamos lá, até que ela não seja nada além de algo que passou a fazer parte de nós. Então, no emaranhado de desculpas que inventamos para nós mesmos para não resolver aquele incômodo, acabamos o incorporando à nossa verdade criada. "As coisas são assim porque é assim que as coisas são" se torna nossa explicação, e se, em nosso íntimo, ousamos discordar de nós mesmos em relação a isso, nos vemos novamente como uma criança que deve ser apenas ninada, porque aqui fora, aqui na vida adulta, as coisas são preto no branco: "Não me venha com frescuras. Pare com essas preocupações sem importância e vá trabalhar, vá ganhar dinheiro, vá gastar dinheiro... vá olhar para o outro e ver o quanto ele é grande, bem-sucedido, um exemplo a ser seguido. Veja o quanto ele é melhor do que você".

Então é isso que queremos? Ser o outro? Ou queremos ser nós mesmos, mas temos medo desse desafio e, mais ainda, do que descobriremos sobre quem somos?

As respostas a essas perguntas não são algo fácil de ser obtido, porque nos falta a clareza até mesmo para fazer as perguntas certas. E não temos tempo a perder com isso, não é mesmo? E nem disposição. Pensar cansa, porque já estamos com a mente atulhada com as preocupações cotidianas. Por que cansá-la ainda mais com questionamentos que, ao que parece, não nos levarão a lugar nenhum a não ser para o buraco fundo onde residem nossos desejos não atendidos por não serem conhecidos?

E nosso corpo também está cansado, porque exigimos que ele responda a toda essa demanda que criamos, ou que foi criada e na qual somos jogados sem nem mesmo termos direito de opinar. Mas aceitamos as dores do corpo, porque elas nos treinam para que aceitemos também as dores da alma. Isso somos nós: um conjunto de dores que tomamos como o normal, aquilo de que não podemos escapar.

"É a vida. Ela é assim mesmo", dizemos a nós mesmos, resignados, derrotados, aceitando que não temos nenhum poder nem mesmo sobre o rumo que queremos tomar nesta nossa breve passagem por aqui. Antes de nascer, éramos apenas uma possibilidade. Depois de morrer, não seremos nada além de uma história a ser contada. E mesmo diante desse cenário fatalista, mesmo diante da brevidade da vida, ainda assim vamos aceitando tudo o que não é nossa vontade e, para que nosso travesseiro não seja feito de pedra, vamos criando um sono pesado que só existe devido a pílulas coloridas.

A vida deveria ser algo mais prazeroso do que sorrir aliviado quando uma conta é paga. A vida deveria ter como objetivo criar uma coleção de boas lembranças, mais do que um punhado de orgulho por ter sido vivida segundo ideias e preceitos que nos foram impostos. Viver esperando pelo fim de semana é pouco, muito pouco. E desnecessariamente dolorido. No entanto, é esse o caminho que vamos trilhando, um caminho que já estava aqui quando chegamos e o qual não questionamos.

Há outros caminhos. É certo que há. E se não houver, por que não os podemos criar? Por que continuamos andando descalços sobre pedregulhos pontiagudos?

O lugar bom pode, e deve, ser exatamente este em que estamos, porque o único lugar em que podemos estar é dentro de nós mesmos. É o único em que vemos com clareza quem somos.

VOCÊ SE IDENTIFICA?

O despertador o acorda pela manhã. É tudo o que ele sabe fazer, porque foi construído para isso. Ele não é nada além de um punhado de mecanismos que sabem apenas ficar esperando o movimento contínuo dos segundos até que o levem para o grande momento, o motivo da existência do despertador: fazê-lo acordar, abrir os olhos e despertar para a alegria de um novo dia cheio de novos desafios, novos horizontes, uma vida repleta de realizações e satisfação.

Bem... infelizmente, essa não é a verdade em seu estado mais bruto. É, no máximo, a história que contamos para nós mesmos. Uma história que, se não está sendo contada como deveria, pelo menos vive em nossos desejos seguindo o roteiro que criamos em nossa cabeça, mas o qual não seguimos.

Mas é claro que a culpa não é nossa. Nunca é. A culpa é das atribulações dos dias, da imutabilidade do caminho a ser seguido, do aparentemente único modo certo de viver a vida.

Mentira. Estamos mentindo para nós mesmos.

Diferentemente do despertador, não somos feitos para atender a um único fim. Não há uma regra na vida que nos obrigue a ser qualquer coisa. Temos nossas obrigações, é claro, mas elas não devem nos impedir de buscar ser mais do que a simples peça de um mecanismo. Somos seres que não se contentam em apenas repetir os dias. Isso vai contra nossa natureza. Somos cheios de ideias e desejos, vemos a vida com um significado maior do que aquele que nos acorrenta. Queremos, todos, ser algo mais para nós e para o mundo. No entanto, nossos dias se desenrolam seguindo a mesma rotina, e ocupamos nossa existência com atividades que se tornam mecânicas por não serem nada além de obrigatoriedades às quais servimos, quando, na verdade, elas deveriam ser apenas o meio para que consigamos ser tudo o que poderíamos ser.

E então, escondido por nossos sorrisos forçados, nosso descontentamento vai tendo de se adequar a essa existência sem muito significado. Sabemos que estamos insatisfeitos com isso, sabemos que queremos mais, no entanto, sem muita ou nenhuma ação para reverter essa situação, vamos nos acostumando a ela, porque aparentemente tudo está bem. Temos nosso trabalho, um teto, alimento e estamos fazendo nosso melhor para atender às necessidades daqueles mais próximos de nós. Fomos convencidos de que querer mais do que isso é exigir demais da vida, como se fôssemos o despertador, com sua função bem definida e sem direito a desejos quaisquer que não sejam simplesmente atender a essa única função.

Sim, podemos tentar nos enganar em relação a isso, mas raramente conseguimos, porque nossa mente, que é onde moram nossos desejos, trabalha com o corpo, e o corpo tem sua própria linguagem e seu próprio jeito de dizer que não está satisfeito com os caminhos que estamos trilhando. Ele responde mesmo àquilo que tentamos esconder dele, porque corpo e mente são indissociáveis, são um sistema único.

É fácil constatar isso. Pense em como seu corpo reage a seus medos e suas tristezas ou em como uma simples ideia que o desagrada é capaz de fazê-lo sentir enjoos. Um amputado continua a sentir o membro que não mais existe, porque a parte do cérebro responsável por aquele membro ainda está lá. Então, se o corpo está informando que algo está errado, o melhor a se fazer é dar atenção a ele. Como somos propensos a acreditar que todas as dores podem ser tratadas com remédios, procuramos um médico.

Não há nada de errado com isso, claro. Afinal, os médicos estudaram durante décadas para conhecer o corpo e os problemas que este pode apresentar, a ponto de poderem nos dizer, com base nos sintomas que apresentamos, o que em nosso corpo não está funcionando bem, o porquê disso e o que deve ser feito para que esse problema seja sanado. Geralmente essa solução é apresentada na forma de remédios, que devemos tomar seguindo a orientação daquele nosso amigo, o relógio. Para que esses remédios estejam disponíveis a nós, outras pessoas (químicos, farmacêuticos) também tiveram de estudar durante anos, fazer pesquisas, testar, apresentar provas de que aquele produto atende à função à qual se destina, e só então esse remédio foi produzido em escala e colocado a nossa disposição.

Como já dito, não há problema algum nisso tudo. O mundo caminhou até aqui baseado na ciência e, hoje, nossa expectativa de vida é bem maior do que na época de nossos avós graças aos avanços da medicina e da farmacologia. E é também a ciência quem informa que, sendo mente e corpo um só sistema, um afeta o outro. Assim, nem sempre somente remédios serão a solução para algumas dores. Apesar de haver medicamentos para problemas psíquicos, precisamos trabalhar também nas causas, não apenas nos sintomas. Para as dores da mente, o melhor remédio está dentro da própria mente.

Não é de se admirar que, muitas vezes, alguns remédios não resolvam nossas dores. Uma investigação mais aprofundada, por parte de um profissional e de nós mesmos, pode nos levar à conclusão de que nosso corpo está apenas reagindo a um mal que não está nele, mas em nossa mente.

É algo complicado, trabalhoso, porque nesse caso não há nem mesmo uma bula à qual nos apegar ou um médico no qual jogar a culpa pela falta de sucesso em diminuir nosso sofrimento. Queremos uma fórmula mágica, testada em laboratório, com cores e forma. Queremos o caminho mais fácil, aquele que a propaganda da TV nos mostrou: "Tome o remédio tal e você nunca mais sentirá nenhuma dor".

E um defeito do corpo é mais "aceitável" do que um defeito da mente. Não nos sentimos envergonhados se somos acometidos por uma gripe ou outra doença. Ou, pelo menos, não sentimos vergonha de admitir se temos a maioria das doenças. Ainda há estigmas em relação a muitas delas, o que é uma pena, porque isso dificulta o processo de cura. Já as doenças da mente, essas, sim, lutamos para esconder dos outros e, pior, de nós mesmos, mesmo que a palavra "doença" não seja exatamente a melhor definição para muitas dores que carregamos e que não se devem a problemas físicos. O estigma em relação às dores da mente e da alma são muito maiores, porque desde sempre somos bombardeados com a informação incorreta de que temos de ser fortes, que não devemos nos abater pelas dificuldades do dia a dia, que precisamos desenhar um sorriso em nosso rosto e encarar o mundo de cabeça erguida.

Sim, seria ótimo se fôssemos movidos só por palavras de incentivo e isso, por si só, realmente resolvesse nossos problemas. Que fácil seria se bastasse tomar remédios e internalizar comandos como "fique bem", "você é forte" ou "bote um sorriso nessa cara". Mas não é assim que as coisas funcionam. Na verdade, não sabemos como nada funciona, e está tudo bem ser assim também. É a partir dessa certeza de que não sabemos nada sobre nada que pode surgir a aceitação de que há muito mais entre a doença e o remédio, e a aceitação disso pode nos ajudar a não incorrer no erro de mascarar para nós que nossas dores podem ter causas muito mais profundas e que não faz nenhum sentido nos sentirmos envergonhados ou derrotados por isso. Para nos ajudar nessa tarefa, existe a Programação Neurolinguística.

Criada na década de 1970 por Richard Bandler e John Grinder, a Programação Neurolinguística tem como função criar uma interseção entre comunicação, psicoterapia e desenvolvimento pessoal. Por meio dela, podemos gerar em nós, e nos outros, novos modos de responder ao meio e às situações. Ela nos diz que toda situação tem uma intenção positiva, por mais que tal positividade esteja aparentemente oculta. Na verdade, esse lado positivo está sempre visível, nós é que não estamos programados ou adaptados para ver o que há de bom até mesmo naquilo que, em um primeiro momento, se apresenta como ruim.

Para que possamos cuidar de nós mesmos, é fundamental que entendamos as mensagens que nosso corpo está tentando nos transmitir e, para isso, temos de aceitar que muitas vezes o corpo, que não tem outro interesse a não ser o de existir, está nos falando coisas que a mente sente vergonha em aceitar. Nossa mente, ao contrário do corpo, quer mais do que existir. É ela quem cria nossos sonhos e nossos desejos, é ela quem nos dá as ideias. Mas talvez ela seja mesmo uma menina bastante tímida, ou então é apenas cheia de si, a ponto de não aceitar o fato de também poder "falhar". Então, vendo-a ali, caladinha, o corpo, que é um menino bastante arteiro, grita. E, se percebermos que um está falando pelo outro, então poderemos cuidar desse todo, que é o que somos.

E... bom... agora que criamos coragem para aceitar que nossa mente pode estar em sofrimento, o próximo passo é fazer algo para cessar essa dor. Sim, porque ninguém mais além de nós tem o poder de resolver nossas dores da mente e da alma. Podemos, sim, buscar a ajuda de profissionais especializados nessa área, mas o que eles farão, invariavelmente, será nos ajudar a encontrar o caminho para que acessemos nossa capacidade inata de cuidar de nós mesmos. Ou seja, nós sempre tivemos o poder de nos curar. Mais do que isso, sempre tivemos a capacidade até mesmo de evitar adoecer. Mas adoecemos, e isso não nos torna menos capazes. Somos complexos demais, a ponto de ser difícil que entendamos completamente a nós mesmos. No entanto, com boa vontade e uma pequena ajuda externa, podemos conseguir, e quase sempre conseguimos, principalmente quando, de mente aberta, aceitamos que mudanças devem ser feitas se queremos sair do lugar em que estamos para seguir para um lugar mais agradável e confortável, um lugar dentro de nós mesmos onde nos sintamos pertencentes a tudo o que está também fora. Temos autonomia e capacidade para isso. Mas será que temos também a vontade necessária para empreender tal caminho?

Em primeiro lugar, essa pergunta nem mesmo deveria ser feita. É o tipo de questionamento que traz em si uma dúvida sobre nossa capacidade, e essa dúvida não deveria existir, porque a pergunta é, em si, a resposta. Se essa pergunta foi feita, é porque, sim, temos a vontade mais do que necessária de mudar para algo melhor. Então o passo seguinte é de alguma forma domar emoções e aprender a conviver com elas até que as tenhamos sob algum controle.

Claro, somos seres movidos pelas emoções — e eu destacaria o medo —, e ninguém está dizendo que as devemos moldar. Ficamos tristes quando temos que ficar tristes, alegres quando temos motivo para isso e indiferentes quando nem a tristeza, nem a alegria são capazes de nos dizer alguma coisa. No meio disso tudo, nesse mar de emoções conflitantes, cabe a nós encontrar o equilíbrio necessário para que a lucidez permaneça à luz da razão, para que nossa atuação no mundo, com os outros e com nós mesmos, não seja determinada por fatores que não aqueles necessários à ação.

A dor e o sofrimento não ligam para isso. Eles não se importam se a presença deles está nos impedindo de encontrar o melhor caminho. Aliás, eles se alimentam disso. Mas, como dito antes, à luz da Programação Neurolinguística, podemos usar o revés para ver novas possibilidades, afinal, só podemos perceber que é necessário buscar um novo caminho se este pelo qual estamos caminhando não está nos levando ao lugar em que queremos estar.

Para além do sofrimento, há todo um mundo, muito maior e com muito mais possibilidades. Mas a dor não quer que vejamos isso, porque, se formos em busca dessas possibilidades, é provável que encontremos um novo estado de espírito, no qual ela não terá lugar, e essa exclusão da vitimização já é uma grande vitória. É importante silenciar nossa mente e esquecer os ruídos das emoções em desequilíbrio, para que não atinjam de forma negativa nossa atuação e possamos, assim, focar a atenção no macro, no todo que nos cerca, e estar aptos a ver o caminho mais válido até o lugar em que queremos estar.

Parece difícil, mas tenha a certeza de que é mais fácil do que se sentir obrigado a viver em constante estado de insatisfação e infelicidade.

LIMITAÇÕES PASSAGEIRAS

"Qualquer um pode começar,
mas só os ousados terminarão."
−*Napoleon Hill*

Quando você se olha no espelho, reconhece aquele reflexo como sendo você mesmo. Você conhece os detalhes de seus olhos, de seu nariz e de sua boca, conhece cada nova ruga que surge. E não há dúvida de que, se vir a imagem de outra pessoa ao se olhar no espelho, exclamará assustado: "Esse não sou eu!" E isso acontece porque você conhece sua fisionomia, o que o leva a se reconhecer no espelho.

No entanto, somos muito mais do que nossa imagem, e conhecer todo esse "muito mais" é fundamental para que possamos estar no mundo de acordo com o que somos e desejamos. Mesmo assim, a maioria das pessoas não tem um bom conhecimento sobre si mesma.

Em uma pesquisa conduzida pela psicóloga organizacional Tasha Eurich para a revista *Forbes*, apenas 15% dos 5 mil entrevistados afirmaram se conhecer bem, o que é um número bastante baixo, considerando o fato de que conhecer a si mesmo está diretamente relacionado à autodescoberta, que, por sua vez, leva cada um de nós às transformações necessárias para uma vida mais plena e com mais significado.

Tasha é uma profissional, uma pesquisadora, uma cientista. Nós, não. Para nós, talvez seja até mesmo difícil entender o conceito de "conhecer a si mesmo", de modo que muito provavelmente números não nos digam nada em relação a isso. E, na atribulação do dia a dia, quem é que tem tempo para coisas tão abstratas quanto conhecer a si mesmo? Assim, aliando nossa suposta falta de tempo à nossa também suposta falta de capacidade de compreender a ideia de autoconhecimento, seguimos adiante, indiferentes, quase confortáveis com a ideia de que não temos a mínima ideia de quem somos, do que realmente queremos, do que seria aquele algo mais fundamental para que nossa caminhada pelo mundo nos traga mais do que angústia e ansiedade. Se 85% das pessoas vivem assim, não deve ser um problema.

Como assim? Não temos tempo para nós mesmos? A ideia de autoconhecimento não merece um pouco de nosso tempo para ser compreendida? Ou será que não estamos dando prioridade àquilo que deveria ser um dos carros-chefes de nossa vida?

Tudo bem, ninguém aqui está dizendo que as pessoas com quem convivemos e nossas obrigações diárias não sejam também prioridades. Mas pense por um momento: será que, conhecendo melhor nossos anseios e nossos limites, não seríamos mais felizes e satisfeitos? E pessoas felizes e satisfeitas têm mais de si mesmas a doar. A entrega é maior, o que gera mais produtividade, relações mais verdadeiras, mais alegria e mais ímpeto para resolver os problemas que surgem durante a jornada. Conhecer a si mesmo é ser pleno, inteiro, e uma pessoa inteira é capaz de realizar mais do que "meia" pessoa. Então, buscar ser uma pessoa inteira deveria ser uma de nossas prioridades, muito mais do que atender aos mandos do relógio.

Os afazeres são muitos e exigem nossa atenção, então ocupamos nossa agenda atendendo primeiro àquilo que, em nossa escala de prioridade, é mais importante e urgente. Se uma nova urgência surge, tornando-se uma prioridade mesmo que momentaneamente, adequamos nossa agenda de modo a atender a essa nova demanda. Ou seja: no fim das contas, somos nós que definimos o que é ou não prioridade em nossa vida, e é aí que aquele número apresentado por Tasha Eurich se torna ainda mais assustador, porque muito mais do que 15% de nós deveria julgar que uma das prioridades de nossa vida é o autoconhecimento.

Ao que parece, tudo é prioridade em nossa vida, menos nós mesmos. Mas tudo é uma questão de atenção, intenção e presença.

Constantemente somos envolvidos em situações delicadas e não somos capazes de nos dissociar das dificuldades que tais situações nos apresentam e enxergá-las com outros olhos. Sim, de fato, são problemas, no entanto, eles serão maiores dependendo da grandeza do olhar com que os encararmos. Sob um olhar mais acolhedor e sereno, talvez consigamos ver que os problemas são, na verdade, menores do que imaginávamos.

Isso não quer dizer que devamos menosprezar as demandas e tirar delas o peso que devem ter. Quer dizer apenas que um problema é também uma oportunidade de crescimento. Como diz o ditado, mares calmos não fazem bons marinheiros. E é verdade.

Estou falando de abraçar as oportunidades, mesmo que inicialmente elas pareçam ser tudo, menos oportunidades. Os problemas surgirão, e não temos como fugir disso. Pior ainda, eles surgirão em um número muito maior do que aquele que julgamos aceitável. Diante deles, podemos lamentar, ajoelhar e pedir ajuda ou podemos encará-los como mais um degrau rumo ao crescimento pessoal. A escolha é nossa, mas garanto que subir os degraus traz melhores resultados do que ficar ali embaixo apenas desejando estar lá em cima.

Estamos em uma caminhada, uma jornada, desde o momento de nossa concepção, e tudo é uma vivência. Não conhecemos o caminho, não sabemos quais são as curvas, os obstáculos e as paradas que teremos de fazer. Nessa caminhada, vamos acumulando experiências, e, com elas, vamos aprendendo o melhor modo de seguir adiante com leveza suficiente para que admiremos a paisagem. Não é à toa que não mais nos referimos aos idosos como pertencentes à terceira idade, mas à melhor idade. Melhor porque eles já sabem lidar com a caminhada, já sabem como reagir aos obstáculos. A experiência com muitos obstáculos anteriores os ensinou isso.

Mas ninguém precisa esperar o tempo passar para começar a ter consciência das possibilidades do caminho. Saber que problemas ocorrerão é bom. Aceitar, conviver e aprender com eles é muito melhor.

E, aqui, voltamos a ter de encarar a nós mesmos, porque, por mais que ainda não nos conheçamos de fato, ainda assim, somos capazes de fazer julgamentos, como se isso facilitasse a caminhada de alguma forma. Não, não torna, e é por isso que vivenciar essa jornada de conhecer a si mesmo e ver o que pode haver de melhor em aparentes problemas exige coragem. Coragem para nos livrar do véu que insistimos em manter diante de nossos olhos e enxergar uma realidade diferente.

Sim, isso mesmo. A realidade nem sempre é aquela que vemos. Muitas vezes, ela é apenas algo que queremos ver, algo em que queremos acreditar. Outras vezes, ela nem mesmo é alguma realidade, não passando de algum tipo de desejo que nos leva a viver uma espécie de fantasia. Quase sempre a realidade é diferente daquela que vemos, mas ela fica oculta atrás de nossos medos, não a queremos ver, porque é mais confortável ficarmos aqui onde já conhecemos, onde vivemos aceitando o ordinário de nosso dia a dia e, com isso, abrindo mão do extraordinário que está ao nosso redor e dentro de nós mesmos.

Mas é importante deixar algo bem claro: quando falo em realidade, me refiro à SUA REALIDADE, essa que faz com que você tenha suas crenças, suas opiniões, seus desejos. Ela é a única que você pode, de fato, mudar e moldar segundo seu sistema de crenças e suas expectativas. É a realidade que você vê com os olhos de sua alma e com seu coração, porque só assim é possível enxergar os erros e os acertos. Para essa realidade pessoal e subjetiva, não há o poder do julgamento externo. Não há nada que outra pessoa possa dizer ou fazer e que vá interferir nessa sua realidade, a menos que assim você permita, porque só você pode saber onde está e aonde quer chegar. Portanto, perceber as próprias falhas e os próprios méritos, detectando nesse processo os pontos de melhora, é o caminho para a evolução.

Esse processo de autoanálise não está aberto àquilo de que gostaríamos. Neste ponto, somos o que somos. Adiante, poderemos ser o que gostaríamos de ser. Então não adianta tentar nos enganar: temos de aceitar que o que veremos nem sempre será muito agradável e, para que isso mude lá adiante, esse encontro com nós mesmos deve ser o mais livre, verdadeiro e intencional possível. Não é hora de acariciar o próprio ego, porque isso nos manterá exatamente onde estamos.

Parece assustador, mas apenas parece. De fato, teremos de encarar características de nós mesmos que talvez tenhamos relutância em aceitar, características que vemos como não boas, porque é assim que as julgamos quando as vemos em outras pessoas. É muito mais fácil apontar o dedo para fora do que para dentro, e quase sempre acreditamos que aquilo que vemos de ruim nos outros não faz parte de nós.

A boa notícia é que não existe um manual que nos imponha um modo de viver, e nem mesmo somos obrigados a ser o que não queremos ser. Se tal obrigação existe, ela é criação de nossa cabeça, com base naquilo que acreditamos que os outros esperam de nós. Ser imperfeitos é um direito nosso, um direito do qual, muitas vezes, abrimos mão. Mas muito daquilo que julgamos como sendo um defeito não passa de nada além de uma característica, que pode ser bem-vinda ou não, dependendo da complacência dos olhos de quem nos vê.

Complacência é para os outros, não para nós mesmos. Devemos ser gentis com nós mesmos, é claro, mas isso não quer dizer que não possamos aceitar nossas falhas, porque, sem isso, não seremos capazes de acreditar que devamos melhorar. A evolução se faz pelo movimento, pelas mudanças, e é notório que uma das características da extinção é o cessar de qualquer movimento.

Mas nada evolui sem uma necessidade. Então, se chegamos à conclusão de que é hora de mudanças, é porque realmente não estamos satisfeitos com o nosso aqui e agora, e enxergar essa causa com coragem é libertador. Mais coragem ainda será necessária para que aceitemos o que nossa alma e nosso coração nos mostrarem como sendo o que precisamos mudar. Aceitar nossas falhas não é algo confortável, mas o desconforto vale a pena, porque a liberdade está ali adiante, no horizonte para o qual estamos seguindo, o horizonte para o qual nossos questionamentos apontam e para os quais as respostas já existem, mas estão vagando pela nossa mente, precisando apenas de uma conexão para fazer sentido.

E não é necessário que faça sentido para os outros, porque nosso caminho é só nosso. Apenas nós sabemos as dores que ele nos causa, o porquê de aceitarmos essas dores e o que buscamos ao fim dessa jornada. Isso nos liberta também de viver as caminhadas alheias, porque não cabe a nós julgar. Assim, sem dedos apontados por todos e para todos, o mundo se torna um lugar mais leve, e abrimos os olhos para ver toda a beleza que está ao nosso redor enfeitando nossa caminhada pela vida.

De modo geral, não somos vítimas de nada e de ninguém a não ser de nós mesmos. Se estamos adiando as mudanças necessárias em nossa vida, é porque nós mesmos estamos empurrando o dia seguinte para o dia seguinte. Nossos apegos são resultado das correntes com as quais nós mesmos nos prendemos, e, se nos recusamos a perceber que renovar é necessário, é porque estamos presos ao ego, que nos diz que já somos o melhor que podemos ser para nós mesmos.

Sim, é claro que estamos todos sujeitos a forças externas sobre as quais temos pouco poder. No entanto, essas forças só podem atuar no que é externo. O mundo fora de nós pode até ser bastante problemático, mas isso não nos obriga a viver o caos também em nosso interior. Uma alma equilibrada, satisfeita e leve é algo que não pode ser domado pelo caos do mundo exterior.

Lá fora, os limites estão além do nosso controle, mas, aqui dentro de nós, sequer há limites.

AMPLIANDO A CAPACIDADE DE EVOLUIR ATRAVÉS DE BONS HÁBITOS

"Ter uma vida extraordinária é uma questão de promover melhorias diárias e contínuas nas áreas que mais importam."
— *Robin Sharma*

É chegado o momento de revelar o oculto e realizar um profundo mergulho em nosso interior. Nesse mergulho, muitas vezes encontraremos o vazio e o silêncio, algo que pode incomodar, afinal, imaginamos que somos muito mais do que isso. Então, nos são exigidas coragem, flexibilidade e conexão com nossa verdadeira essência, porque é nelas que está a sabedoria necessária para exercermos nossa capacidade de expressar a vida, muito mais do que simplesmente estar nela. É essa sabedoria que nos livrará de nossas culpas e nos trará a responsabilidade para que entendamos que nossas inquietações são, na verdade, um pedido de ajuda. Assim, é chegada a hora de dar atenção a essas inquietações e resolver os conflitos.

Esse é um processo de evolução, uma caminhada constante ao autoconhecimento, que pode, e deve, se apoiar em fatores extremamente colaborativos, que, sendo aplicados de forma gradual e contínua, podem gerar resultados incríveis. Um desses fatores diz respeito à necessidade de abandonarmos a mecanicidade com que vivemos tudo aquilo que faz parte de nossos dias, porque, por executar nossas atividades no modo automático, não percebemos que elas poderiam ser lapidadas e, assim, gerar um resultado muito mais significativo. Quando praticamos atividades revigorantes, recebemos emoções confortáveis, o que é avaliado como um sistema de recompensa, sendo esse também um meio de cuidar de nós mesmos. Até aqui, vemos como atividades revigorantes apenas aquelas que escolhemos fazer para além da necessidade, daí a importância de ressignificarmos também aqueles afazeres do dia a dia, aquelas atividades das quais não podemos nos furtar, para que também elas sejam mais do que mera obrigação e se tornem parte de nosso crescimento interior. E essa busca por dar um novo significado a tudo o que fazemos deve se tornar um hábito, entre tantos outros que podem nos ser bastante úteis.

Hábitos são comportamentos criados opcionalmente e que depois passam a fazer parte de um padrão inconsciente, e o primeiro grande hábito que podemos colocar em prática é o do pensamento positivo.

Pensamento positivo

Não, não estou falando daquelas frases prontas que muitos têm na ponta da língua para usar quando algo não está acontecendo conforme o desejado. Estou falando de avaliar os acontecimentos da vida como grandes oportunidades de aprendizados e de como isso nos torna mais seguros, mais otimistas. É a história de ver o copo meio cheio, não meio vazio. É perceber que cabe a nós tomar decisões alinhadas com nossos projetos, em vez de sair culpando algo ou alguém quando os resultados que conseguimos não são os que esperávamos.

Quando pensamos positivo, a energia que atraímos é outra, muito melhor, tornando nossa capacidade de realização mais palpável e o humor mais leve, e consequentemente, "contaminamos" as pessoas ao nosso redor.

Em seu livro *O jeito Harvard de ser feliz*, Shawn Achor aborda com brilhantismo a questão da felicidade. Ele afirma que a felicidade e o otimismo, na verdade, promovem o desempenho e a realização, nos proporcionando vantagens competitivas em diversos setores da vida. Afirma também que devemos ser realistas em relação ao presente, ao mesmo tempo que maximizamos nosso potencial para o futuro. Trata-se de aprender a cultivar atitudes e comportamentos que, segundo o autor, comprovadamente promovem o sucesso e a realização.

É estarmos dispostos a entender, processar e acolher as situações com o devido aprendizado e, então, seguir em frente, acreditando nos benefícios de nossas escolhas, tanto para nós mesmos como para os nossos.

A chave de toda a abundância é detectar o que de positivo temos na vida. Isso, de fato, faz toda a diferença.

Outro hábito de extrema relevância tem relação com a nossa alimentação.

Alimentação

Não, eu não darei receitas nem ditarei o que você deve ou não comer. Não é isso. O que pretendo é reforçar aquilo que todos nós já sabemos: meu corpo, meu templo.

Cuidar da saúde nos traz inúmeros benefícios e ao mesmo tempo um modo de conscientização extremamente válido. Para isso, nada melhor do que começar nos preocupando com aquilo que ingerimos, pois sabemos que uma alimentação balanceada é extremamente eficaz tanto para o bem-estar físico como para o mental.

Ora, se nosso corpo é nosso templo, que tipo de alimento devemos dar a ele?

Para que possamos responder a essa pergunta, precisamos estar um passo adiante de onde estamos agora e ver o que comemos e bebemos como algo com uma importância muito maior do que a de simplesmente nos saciar a fome e nos dar algum prazer pelo paladar. É preciso acontecer o despertar, e cada um tem seu tempo para isso. Mas a pergunta que faço é: será preciso nos sentirmos atingidos para tomarmos uma decisão mais consciente?

Eu não indico que sejam feitas mudanças radicais, porque não acredito que dessa maneira elas se sustentem por muito tempo. A evolução é um processo lento, e devemos respeitar o ritmo que ela impõe a si mesma, ao nosso corpo e à nossa mente. No entanto, podemos ajudar esse processo fazendo adaptações mais inteligentes e que produzirão resultados muito mais satisfatórios.

Beber água nunca foi meu forte, até eu sofrer uma crise renal. Eu estava sempre reclamando de meus rins, no entanto, não mudava esse meu hábito de beber pouca água. Como eu esperava atingir resultados diferentes praticando as mesmas ações? Ou, no caso, não praticando uma ação fundamental e simples: beber água? Eu mesma estava contribuindo para que a situação continuasse dolorida.

E as coisas continuaram assim, até que despertei. Aliás, meu corpo me despertou. Ele já estava cansado de ser maltratado e me avisou sobre isso do jeito que sabe: doendo. A dor me fez reconhecer que meu corpo estava me ensinando algumas lições. Eu aprendi essas lições, e isso me fez percorrer um novo caminho em relação à alimentação.

Na minha opinião, tudo é permitido, inclusive com relação à alimentação. Porém tudo tem consequências.

Cabe a nós escolher com quais delas conseguimos lidar e quais são as mais interessantes para nós.

Para além da alimentação, nosso corpo e nossa mente costumam reclamar também do sedentarismo. Mas... Exercícios? Eu?

Exercícios

Confesso que, por muito tempo, fui resistente à prática de exercícios, e a "falta de tempo" sempre foi uma desculpa para eu não fazer nada. Mas eu e você sabemos que não era falta de tempo coisa nenhuma, mas falta de prioridade.

A procrastinação é considerada normal, mas ela acaba se tornando um problema quando impede o funcionamento das ações que são necessárias. Então, para a pessoa procrastinadora, que adia as coisas ciente de que não deveria agir assim, isso resulta em estresse, sensação de culpa, perda de produtividade e vergonha por não cumprir com suas responsabilidades. Mas quando conseguimos vencê-la e decidimos nos dar a oportunidade de fazer o que é necessário, além dos benefícios para o corpo, encontramos também um benefício mental, e posso afirmar que isso é libertador.

Vencido esse período de adiamento, e já decididos a dar uma oportunidade a nós mesmos de experimentar os bons resultados da prática de exercícios, é hora de encontrar alguma atividade física que combine com a gente, testando e validando cada atividade até encontrarmos aquela que faz sentido para nossa realidade.

Seja qual for a escolha, vinte minutos diários já são um bom começo para nos colocarmos em movimento. Talvez inicialmente haja certo desconforto, porque nosso corpo, acostumado ao sedentarismo, pode reclamar. No entanto, em bem pouco tempo após iniciar uma rotina de exercício, nos sentiremos muito mais dispostos e com muito mais energia para realizar as tarefas diárias.

No meu caso, não adiantava muito as pessoas falarem "faça exercício, faz bem para a saúde", porque essa decisão envolve comprometimento e ação, e isso só ocorre quando experimentamos e validamos os benefícios daquilo a que nos propomos realizar. É claro que exemplos de pessoas que estão muito bem por realizar uma prática qualquer servem de estímulo, no entanto, nossa decisão envolve conscientização em relação à qualidade de vida que desejamos, e, por mais que ouvir opiniões seja um motivador, a verdade é que nós somos os únicos responsáveis pela nossa transformação.

E, se estamos falando em transformação, não podemos deixar de falar da leitura.

Leitura

Esse hábito transformou minha vida.

Como já afirmei, nada se compara a uma pessoa desperta, e essa frase me faz pensar em quão grandioso é o aprendizado adquirido por meio da leitura e dos estudos, pois não faltam exemplos do poder que os livros têm de transformar vidas. É por meio deles que temos acesso ao conhecimento adquirido pela humanidade. Os livros contam a história de todos nós, até aqui e do que pode estar nos esperando no futuro, e com esse conhecimento somos capazes de questionar até mesmo nossas próprias convicções, o que invariavelmente nos leva a caminhos sobre os quais até então não tínhamos consciência.

Existem obras valiosíssimas esperando para serem apreciadas.

Se você lê menos do que gostaria, sugiro estabelecer o habito diário de ler cinco páginas por dia, o que já é um bom começo. Depois, você vai aumentando o número de páginas lidas. E não se engane pensando que será trabalhoso, porque, na verdade, você desejará isso. O conhecimento é viciante, e provavelmente você nunca mais conseguirá ficar longe dos livros.

Quer coisa mais gostosa do que, depois de um dia de trabalho, se deitar confortavelmente em sua cama e ler antes de seu merecido descanso? Enquanto lê, você se esquecerá dos problemas cotidianos, e isso o preparará para uma noite de sono revigorante. E não é novidade para ninguém que um sono de qualidade é fundamental para nosso bem-estar físico e mental.

Sono

A qualidade de nosso sono é fundamental para gerar energia para nossa máquina. Em uma rápida pesquisa qualquer um de nós pode encontrar estudos que comprovam que existe, inclusive, uma íntima relação entre o sono de baixa qualidade e a depressão. Ou seja, dormir é um dos processos fundamentais para que tenhamos energia e disposição. Isso faz parte de nossa preparação diária para encarar as obrigações e também realizar as tarefas que mais nos dão prazer. Não importa o que você gosta de fazer, qual seja seu hobbie... tente realizá-lo após uma noite mal dormida e você entenderá do que estou falando.

Mas, claro, cada pessoa funciona de uma forma, então, não há como definir regras rígidas sobre o sono, mesmo que haja um monte delas por aí. No meu caso, acordar cedo proporciona ótimos resultados. Fiz testes e validei que sou muito mais produtiva na parte da manhã, então fiz os ajustes em minha rotina para poder ampliar meu tempo de boa performance. Eu preciso de um tanto de horas de sono por noite, então, para aproveitar ao máximo essa minha melhor produtividade no período da manhã, passei a ir dormir mais cedo, assim, consigo dormir todas as horas de que preciso e acordar cedo.

Planeje-se e crie estratégias que poderão contribuir para uma boa noite de sono.

Planejamento

Aliás, outro hábito que pode gerar grandes resultados na sua vida é o de planejar seu dia, sua semana, seu mês, seu ano. Ter um planejamento detalhado nos torna conscientes do que precisa ser feito, e isso faz com que ter um bom direcionamento para atingir nossos objetivos seja mais fácil.

Nosso tempo é escasso devido à correria do dia a dia, por isso é fundamental otimizar o modo de realizar nossas tarefas, e nada melhor do que um bom planejamento. Grandes aliadas para isso são as boas e velhas anotações, que podem nos ajudar a manter a mente mais livre e despreocupada, porque, quando anotamos o que devemos fazer, essa informação fica ali, no papel, e não em nossa mente. É livrar espaço, que pode ser preenchido com outras coisas mais úteis ou simplesmente mais prazerosas.

No entanto, é preciso estar atento, porque, se o planejamento não estiver totalmente ligado à ação, ele acabará não cumprindo satisfatoriamente o papel para o qual foi criado. O planejamento sem ação fica no campo dos sonhos, dos desejos. A ação depende do planejamento para ser concluída com eficácia, e o planejamento sem ação é pura perda de tempo e energia. Portanto, planeje, mas faça.

Como eu disse, o planejamento pode "livrar espaço" em sua mente, mas para isso há também outro hábito, tão ou mais importante: a meditação.

Meditação

Mas veja bem: a ideia aqui não é dizer o que você tem que fazer. A intenção é que você se permita experimentar.

Eu sempre ouvi sobre os benefícios da meditação, no entanto, achava que essa prática era para pessoas mais tranquilas. Eu alegava que minha mente era acelerada demais para meditar, eu não me sentia conectada com essa ideia.

Certa vez, lendo o livro *O milagre da manhã*, de Hal Elrod, que aborda o assunto, fui convidada pelo autor, naquelas páginas, a meditar. Mas antes o livro já havia me ajudado a entender o que é a meditação. Essa técnica permite o aumento da conscientização de si mesmo, levando à melhora da autodisciplina, do foco, e reduzindo o estresse por meio da atenção plena no momento presente, do controle da respiração e da concentração. Esse conhecimento me libertou de uma crença totalmente limitante, o que me permitiu experimentar a meditação. E... uau! Meditar fez com que eu simplesmente me aquietasse e conseguisse ouvir a mim mesma, em uma comunicação clara, sem ruídos. Pude (e continuo podendo sempre que medito) trabalhar intensamente minha intuição, e minhas percepções se iluminaram.

E não se engane. Isso não é algo distante. É uma prática totalmente acessível e que não exige nada além de apenas alguns minutos diariamente. E, como quase tudo o mais na vida, meditar depende da intenção que colocamos nessa ação. Para perceber o efeito desejado, você precisa estar 100% presente.

Posso afirmar que este livro só existe graças à meditação. Foi durante os momentos de silêncio que pude "ouvir" o direcionamento necessário para escrever um livro sobre o processo de autoconhecimento. O que me leva a outro hábito entre os que geram a capacidade de evolução: a escrita.

Escrita

Minha forma preferida de exercitar a escrita é mantendo um diário, em que escrevo quase todas as manhãs. Digo "quase todas" porque há dias em que não tenho vontade, e está tudo bem, já que escrever não é algo que precisa ser feito como uma regra, mas, sim, por prazer.

Percebo que meu dia começa com muito mais fluidez quando expresso minhas emoções em meu caderno, sejam elas boas ou não, e não tenho dúvidas sobre o poder transformador que a escrita livre tem em minha vida. Obtenho percepções valiosas naquele momento de entrega e presença, vivencio um momento de encontro, de reflexo da alma. E como diz a escritora Ana Holanda em seu livro *Como se encontrar na escrita*, "as histórias mais poderosas moram dentro da gente". Então, para que nosso processo de autodescoberta não encontre motivos para estacionar em algum momento, nada melhor do que conversar com nós mesmos também por meio da escrita.

É isso que faço, e vejo meu diário como grande aliado, pois ele me obriga a pensar sobre meus questionamentos e me ajuda a entendê-los, pois, por meio dessa escrita sem travas, tenho maior clareza e também muitos insights. E depois, quando releio minhas anotações, percebo meus progressos e vejo que minhas ações estão alinhadas com meu desejo de evolução, e essa sensação é inspiradora.

Aprendi com Hal Elrod, autor norte-americano, que fazer uma lista com tudo aquilo pelo que sou grata é um dos fatores que podem contribuir, e muito, com meu processo de estudo, aprendizado e prática. Há outros fatores que também contribuem para isso, como reconhecer minhas realizações, estabelecer as áreas em que devo melhorar e planejar as ações com as quais estou comprometida, mas falei aqui dessa lista de gratidão porque, aliada ao hábito de escrever, desenvolvemos um outro hábito essencial para nosso crescimento pessoal: expressar gratidão.

Gratidão

Quando praticamos a gratidão, emanamos amor, generosidade, respeito e felicidade, e, baseados nisso, potencializamos diversas emoções positivas, o que, por consequência, chega ao outro como um encontro agradável. Quando nos sentimos gratos, reconhecemos nossa necessidade de estar sempre em contato com o outro, porque ninguém é completamente autossuficiente. Reconhecer essa necessidade é reconfortante, pois nos desobriga de suportar sozinhos o peso do mundo, e expressar nossa gratidão transmite ao outro a informação de que ele é importante, o que gera gratidão também nele. E assim é criada uma rede de presença e ajuda constante, o que torna a vida muito mais prazerosa e com muito mais sentido.

A necessidade de bons sentimentos, generosidade, tolerância, benevolência e muito amor é constante, mas há períodos em que isso parece se intensificar, como, infelizmente, é o caso de nossos dias atuais, em que a individualidade se tornou a tônica, nos distanciando de nossa capacidade e necessidade inatas de vivenciar a vida em conjunto. Portanto, sejamos os fios condutores dessa energia positiva. Deixemos de lado nossa tendência de valorizar muito mais as grandes conquistas, porque, na verdade, toda conquista é grandiosa, afinal, não conhecemos o peso que cada um carrega sobre os ombros. Somos todos moradores do mesmo planeta, e independentemente do caminho escolhido por cada um, temos o mesmo objetivo: transformar a vida em uma caminhada enriquecedora e prazerosa. Quanto mais pessoas atingirem esse objetivo, ou pelo menos chegarem perto de atingi-lo, mais gratidão haverá no mundo, e todos ganharemos com isso.

E então finalizamos com aquilo que há de mais sublime nesse processo de conexão com nós mesmos, o hábito que direciona e resulta de todos os outros e que nos permite vislumbrar com clareza a amplitude e a harmonia de nossa frequência espiritual: orar e vigiar.

Orai e vigiai

Não estou me referindo a qualquer religião, mas à fé, não importando qual caminho faça sentido para sua vida.

Orar é estar em contato com a energia suprema, é disponibilizar filtros positivos para um esclarecimento de sua comunhão consigo mesmo, com os outros e com tudo o que nos cerca, com toda a criação, de onde emana toda a sabedoria e todo o amor, e quando entramos em contato com essa fonte inesgotável de amor e sabedoria, nos revitalizamos e nos fortalecemos para que possamos realizar nossa jornada com muito mais clareza e leveza.

Já vigiar significa observar, ficar atento, ser capaz de analisar aquilo que está chegando até nós, seja por meio de atitudes ou de pensamentos (reações emocionais, crenças e opiniões sobre coisas ou pessoas), para que sejamos capazes de reconhecer nossas fraquezas e trazer à luz essa percepção, nos tornando despertos e realistas em relação aos nossos comportamentos, para que sejamos disciplinados e criemos a harmonia de aplicar o que falamos àquilo que fazemos.

Portanto, orai e vigiai, e então o caminho se tornará mais iluminado. E sempre será mais fácil trilhar esse caminho se observarmos e colocarmos em prática todos esses hábitos dos quais falei. E, claro, cada um pode associá-los a outros que também ajudem no processo. Não há regras. No entanto, é sempre uma boa ideia facilitar as coisas para nós mesmos, e é isto que alguns hábitos fazem: eles facilitam as coisas. Não é à toa que, para poupar energia e esforço, nosso cérebro usa o conhecimento adquirido para transformar decisões repetidas em hábitos.

Vejam o que Charles Duhigg, autor de *O poder do hábito*, respondeu quando, em uma entrevista, foi perguntado sobre quantas atividades diárias são influenciadas pelos hábitos: "Um estudo da Universidade Duke mostrou que mais de 40% das nossas ações diárias não eram decisões reais, mas hábitos. Embora cada hábito tenha pouco impacto no dia a dia, ao longo do tempo eles têm muita influência na nossa saúde, produtividade e felicidade".[1]

Percebe o poder de nossas escolhas?

Para finalizar este capítulo, realizaremos algumas reflexões que poderão ser uma belíssima ferramenta em seu processo de autoconhecimento.

1. Como está sua saúde?

_____

_____

_____

---

1. Disponível em: <https://vejario.abril.com.br/programe-se/autor-da-obra-o-poder-do-habito-fala-sobre-suas-teorias/>. Acesso em: 19 set. 2020.

2. Você está dormindo bem o suficiente?

3. Hoje, quais são suas angústias?

4. Existe algo especial que você deseja realizar?

5. O quão empenhado você está em concretizar esse objetivo?

6. Quais são seus hobbies preferidos? Você os está praticando com a frequência que gostaria?

AUTOCONHECIMENTO

"Conhece-te a ti mesmo e conhecerás todo o universo e os deuses, porque se o que procuras não achares primeiro dentro de ti mesmo, não acharás em lugar algum."
— *Mensagem encontrada na entrada do Oráculo de Delfos e adotada por Sócrates como um dos pilares de sua filosofia*

O aforismo "conhece-te a ti mesmo" define perfeitamente a reflexão que serve como base para o estudo do autoconhecimento, e, se esse ensinamento continua válido e relevante desde a época de Sócrates até hoje, talvez isso signifique que a busca pelo autoconhecimento seja algo realmente atemporal, contemplando pessoas de todas as épocas. No entanto, o imperativo da frase é só isso mesmo: um imperativo, tanto no sentido gramatical quanto no sentido de ser algo verdadeiramente necessário. Não há na mensagem qualquer instrução sobre que caminhos seguir para esse encontro consigo mesmo. Toda a verdade que conhecemos em relação a essa necessidade é a de que deveríamos conhecer a nós mesmos. Sem mapas, sem manual, sem ter a mínima ideia de onde buscar esse autoconhecimento. O conhecimento é a luz, mas a busca por ele é feita enquanto tateamos no escuro.

O nascimento de cada um de nós é um evento relativamente traumático. Saímos de um lugar quente, acolhedor e onde estamos protegidos, e chegamos ao mundo aqui fora, expostos, indefesos, completamente incapazes de cuidar de nós mesmos. Mesmo assim, a primeira coisa que vemos é a luz e, se o conhecimento é a luz, estamos no caminho certo.

Assim, podemos dizer que, depois de nascer, a vida, em uma definição bastante simplista, nada mais é do que a procura por mais e mais renascimentos, por mais luz. E essa é uma busca para a qual o objetivo definitivo não existe, porque sempre há algo mais a ser alcançado ali adiante. Quando acreditamos que finalmente alcançamos a nós mesmos, quando julgamos que nos conhecemos, somos transformados por essa certeza. Saímos de uma condição de não conhecimento sobre nós mesmos e entramos em uma nova condição, uma em que nos conhecemos. E é por isso que a busca é infinita: porque, agora mudados, não somos os mesmos de antes.

Sim, eu sei que parece que estou sendo pessimista. Colocando as coisas do modo como coloquei, a impressão que fica é a de que essa busca pelo autoconhecimento é uma tentativa que já nasceu morta. Mas não se engane, porque o verdadeiro crescimento está na caminhada, não na chegada. É a busca pelo autoconhecimento que muda o modo como interagimos com o mundo, abrindo possibilidades para novas descobertas.

Mas não existem regras nem se trata de uma condução. Se você está feliz e satisfeito com as coisas como estão, se não vê a necessidade de ir mais fundo em si mesmo, não há nenhuma lei que o obrigue a mudar isso. Estar feliz é um bom indicativo de que você está onde deveria estar. No entanto, como está lendo este livro, acredito que esse não seja o seu caso. Se você está aqui, é porque está vendo a necessidade de alguma melhora. É uma decisão particular sua, e é exatamente assim que deve ser, porque apenas nós podemos trilhar o caminho até nós mesmos, e esse caminho só é válido quando o assumimos de coração e com a alma receptiva.

O que nos leva a desejar trilhar esse caminho é a existência de algo que não está claro (novamente a busca pela luz), e então nos sentimos provocados a entender tudo aquilo que está além de nossas percepções, que com frequência são superficiais. No entanto, há muita coisa que está além do que podemos perceber e compreender, e desejar atingir isso tudo seria um exercício de futilidade. Por isso, é muito importante que se tenha ciência de que, durante nosso trajeto rumo a nós mesmos, nos depararemos com situações que estão além de nossa capacidade de compreensão e que aceitar isso faz parte do processo. Devemos ir fundo, o mais fundo que pudermos, mas sem passar daquele ponto em que ainda podemos ser banhados pela luz. Muito do que está além de nós não nos diz respeito, e querer abraçar o mundo pode tornar a jornada insuportável. Então devemos, sim, abandonar a superficialidade, mas mergulhar apenas até onde nosso fôlego pode nos sustentar. Não há pressa, não há uma meta exclusiva. O que há é a jornada, e é aí que está a maior beleza desse processo todo.

A linha de chegada é aquele ponto até onde podemos ir agora. Não é algo estagnado, imutável, assim como não é imutável nossa consciência, que ganha espaço conforme progredimos, nos levando a novos desejos, e uma nova meta. O que somos hoje não seremos amanhã, e é por isso que a busca por nos conhecermos a nós mesmos é um caminho infinito. Portanto, validar cada experiência e confirmar se ela faz sentido para você é algo de fundamental importância, pois sua busca o levará a conhecer quem você é, não quem você acha que é ou gostaria de ser.

Durante as aulas de Crescimento Interior que ministro, percebo como pequenos ajustes podem gerar enormes mudanças. Em um único exercício, como parar e se fazer algumas perguntas, proporcionando uma reconexão, buscando antigas fontes de alegria, estando atentos e focando aquilo que pode gerar benefícios, percebo os alunos presentes, reflexivos e entregues, e é nesses momentos que a semente começa a germinar.

Quando focamos esse novo caminho que nos propomos seguir, percebendo cada passo e a presença no aqui e agora, conseguimos ver toda uma gama de novas possibilidades, que podem se tornar novos caminhos, um novo momento, que criam mais possibilidades, em um ciclo virtuoso de crescimento constante.

Portanto, a congruência entre o que se deseja e o caminho a ser tomado se torna totalmente indispensável durante o processo. Para que cheguemos aos horizontes que buscamos, precisamos estar atentos às justificativas que estamos apresentando a nós mesmos. Mentir para nós só nos levará a continuar no exato lugar onde estamos, mas cada vez mais insatisfeitos e culpando tudo e todos por nossa falta de capacidade em avançar. Há motivos para nosso desejo de mudança, e não há o que possamos fazer para mudar isso, então só nos resta dar atenção verdadeira a esses motivos, sem máscaras e sem desculpas, para que iniciemos nossa caminhada rumo ao autodescobrimento e não fiquemos parando pelo caminho. Tudo bem, às vezes é necessário parar para tomar um fôlego e digerir tudo o que estamos descobrindo sobre nós mesmos, no entanto, conforme nos habituamos aos choques e surpresas, nos tornamos mais fortes e aptos a continuar em frente com muito mais ímpeto e foco.

Nossas sombras estarão o tempo todo nos acompanhando pelo caminho, mas mesmo elas, com que às vezes é difícil lidar, nos revelam nossas perspectivas e, muitas vezes, caminhos muito mais iluminados.

Quando comecei meus estudos sobre o autoconhecimento e sobre como conseguir acessá-lo, me deparei com meu egoísmo e minha arrogância. Sim, como eu já disse, o início é difícil, porque temos que encarar o fato de que descobriremos coisas nada agradáveis sobre nós, verdades duras e bem diferentes daquelas nas quais acreditávamos até então e que, no fim das contas, se mostram como nada além de uma suposição que fazíamos sobre nós mesmos. Quase sempre, a realidade é bem menos bela do que imaginamos, mas é nela que está a verdade que buscamos e que nos libertará das falsas impressões que nos mantêm acorrentados aqui onde não queremos mais estar.

Durante essa imersão em mim mesma, percebi que a luta que eu estava travando não era contra o outro. Eu era minha própria algoz, e só eu poderia me salvar de mim mesma. Para isso, teria que abrir mão de condutas que estavam sustentadas apenas em minha vaidade e em meu apego, como achar que minha verdade era absoluta perante o mundo e que minha forma de pensar era a "correta", a que deveria ser seguida.

Certa vez, briguei com meu irmão Marcio, praticamente exigindo que ele fizesse faculdade naquele determinado momento, e ele calmamente me respondeu: "Quando você vai entender que o que é bom pra você pode não ser pra mim? No momento, não pretendo gastar o dinheiro do nosso pai em algo ao qual não estou disposto a me dedicar".

Naquele dia, ele me calou e me deu uma das maiores lições de minha vida: respeite o mapa alheio.

Anos depois, no tempo dele, cursou a faculdade, e eu, trabalhando esse despertar, consegui entender melhor as escolhas alheias, entender que a realidade do outro é diferente da minha. O outro também está em uma batalha consigo mesmo, e os caminhos e as armas que ele escolhe para essa batalha são as que melhor atendem às suas necessidades, e não às minhas. Minha visão e percepção em relação ao outro se tornou muito mais empática, porque entendi que cada um faz o melhor que pode, baseado no contexto e nos recursos disponíveis no momento. Entender, aceitar e, mais do que tudo, admirar isso é libertador, porque, respeitando o outro, entendemos o quanto também devemos buscar ser respeitados, pelo outro e, principalmente, por nós mesmos.

Com essa percepção de que o processo de aprendizado é contínuo e que cada indivíduo vive seu momento de forma singular, deixamos de julgar. Saber que não somos a régua para a vida dos outros nos permite abrir espaço ao diálogo e também ao reconhecimento da verdade alheia. Essa verdade, apesar de não nos pertencer, pode mostrar elementos que podem ser somados às nossas próprias verdades, e assim, tudo aquilo sobre o que antes fazíamos julgamentos pode ganhar novos contornos e se mostrar como novas e valiosas lições, um conhecimento a mais que podemos juntar aos que já temos. Vamos nos tornando maiores, mas sem, com isso, tomar o espaço que não nos pertence. Maiores, mais cientes sobre nós mesmos e mais próximos do autoconhecimento, não temos tempo e nem a necessidade de especular sobre a vida de qualquer pessoa. Passamos a admirar quem somos e quem podemos ser e a entender que o outro também pode estar nesse processo, o que também o livrará da necessidade de nos julgar. Nossa liberdade pode libertar o outro, e é nesse resultado conjunto de um trabalho individual que está a maior beleza.

Se é tão importante entender e aceitar o outro, não menos fundamental é que sejamos compreensivos e responsáveis também com nós mesmos. Isso vale para qualquer aspecto da vida, mas tem um peso a mais nesse processo de autoconhecimento. Em nossa jornada, muitas vezes olharemos para trás, para ver quem éramos e onde estávamos, e não raro isso nos levará a fazer julgamentos sobre nossas ações passadas e nos culpar pelos resultados dessas ações, seja para nossa própria vida ou para a vida do outro. É nesse momento que a autorresponsabilidade será ainda mais indispensável. Não nascemos sabendo de tudo. O mundo, a vida e tudo o mais ao nosso redor são um grande desconhecido, que vamos desvendando aos poucos. É a experiência que vai nos mostrando nossos erros e acertos. Esse é o processo natural, do qual não podemos escapar e em que não há atalhos. Portanto, não há culpa. Tudo o que há são resultados, e é importante estarmos cientes de que estamos, nós e o outro, fazendo o nosso melhor. Saber disso nos levará a uma profunda compreensão dos mecanismos que regem a vida, e entender que existem diferentes modos de o fio da vida se desenrolar nos leva a deixar de lado as condenações, nos tornando aptos a acolher o outro e, principalmente, a nós mesmos. É isso que torna possível esse encontro e que ele seja inundado de paz, carinho e muito amor.

Todos nós temos recursos admiráveis, e experimentar e colocar em prática esses aprendizados diários valida nossa vivência. Para que cheguemos mais perto da iluminação, precisamos trabalhar dentro de nós todas as competências de que dispomos. Perdoar a nós mesmos é uma delas. E aceitar que durante a caminhada erraremos novamente, e que esses erros, mais do que motivos para lamentações e arrependimentos, são, na verdade, mais uma lição aprendida rumo ao mais pleno autoconhecimento.

Chegou o momento de escrever uma carta para você. Isso mesmo, uma carta. Você recebeu algumas informações para chegar até aqui. Já não é mais a mesma pessoa que era quando começou a leitura deste livro, e acredito que tenha feito também algumas reflexões. Então, use essas linhas e converse um pouco com você. Seja o mais sincero possível. Esse é um momento de encontro.

PRATIQUE O AUTOPERDÃO

"Antes de pedir qualquer perdão
a Deus, veja se, realmete,
você mesmo já se perdoou."
— *Marco Aurélio*

Para iniciar este capítulo, nada melhor do que tentar responder às seguintes perguntas: quando você está sozinho com seus pensamentos, os julgamentos que faz sobre suas próprias ações o alimentam ou o envenenam? Estar sozinho consigo é uma experiência agradável ou dolorosa?

Perdoar é doar-se em plenitude, é alcançar um nível mais elevado, transpor a barreira do limite entre a punição e a verdadeira capacidade de aprender a sermos mais humanos. Somos capazes de perdoar verdadeiramente apenas quando entendemos que também falharemos com o próximo e que também precisaremos de perdão. Errar é uma condição humana, e até mesmo a noção de erro é um tanto subjetiva. Felizmente, a maioria dos erros que cometemos com os outros e que eles cometem conosco não é fruto de intenção, mas de falta de conhecimento suficiente sobre o outro. Em outras situações, os erros podem até ser intencionais, talvez movidos por um descontrole momentâneo ou por uma falta de equilíbrio, mas mesmo nesses casos há a possibilidade de arrependimento. Ou seja: perdoar é aceitar a condição humana.

Importante ressaltar que não estamos falando aqui sobre consentimento ou passividade. Não é esquecer o mal que nos foi causado, mas nos lembrar desse mal, seja ele causado a nós por outros ou por nós mesmos, sem ressentimentos. Do contrário, sem essa capacidade de perdoar de fato, encontramos a possibilidade de fazer o mal se transformar em outro mal, porque alimentar mágoas e ressentimentos nunca foi um bom remédio para qualquer coisa. Perdoar nos livra da mágoa e livra o outro do peso da culpa. Mais leves, somos mais capazes de evitar que haja novos males, e isso limita a quantidade de ações, nossas ou alheias, que poderiam levar à necessidade de mais perdão. Perdoar é realmente ótimo, não ter o que perdoar é divino.

Ainda assim, há um longo caminho até que o mundo se torne um lugar em que não haja a necessidade de perdão, então é bom que aprendamos a lidar com os erros da maneira mais leve possível, para o nosso próprio bem, e a melhor maneira de começarmos a entender o valor do perdão é praticando-o conosco. Mais do que isso, é fundamental que sejamos capazes de perceber nossas falhas, porque, sem as perceber, não seremos capazes de nos autoperdoar e nos comprometer com um caminho que nos leve a mais acertos. Se não somos capazes de nos comprometer com nós mesmos, não faremos isso com os outros, e então nossas percepções de certo e errado nos levarão a entender que o outro está sendo falho conosco, quando não necessariamente isso será uma verdade. Talvez as ações do outro que julgamos como erradas sejam apenas um reflexo de nossas ações. Portanto, devemos, sim, reconhecer nossas falhas, mas também devemos nos perdoar por elas, desde que não usemos esse perdão como uma espécie de muleta. Devemos nos perdoar, mas também estar comprometidos com o objetivo de não cometer mais aquela falha. Há um monte de outras para cometermos, e infelizmente isso acontecerá. E quando acontecer, seremos novamente inundados pelos sentimentos que acabam por prejudicar nossa saúde, como mágoa, ressentimento, culpa, raiva e intolerância.

Esses sentimentos são também as barras de uma cela na qual insistimos em nos manter. Eles alimentam a si mesmos e nos tornam cegos a tudo de bom que está ao nosso redor, adoecendo nosso corpo e nossa alma. E não importa qual seja nossa visão sobre situações que julgamos imperdoáveis, a autopunição não resolverá nada.

Sim, é claro que é importante reconhecer o erro, mas de nada adiantará ficar se martirizando. Praticar o autoperdão nos torna libertos, evitando, assim, os sentimentos tóxicos, nos tornando cada vez menos vítimas da situação e, por consequência, nos levando a um caminho em que, mais leves, estaremos mais preparados para encarar com sabedoria suficiente as situações que se apresentam, para que não cometamos o mesmo erro duas vezes.

O primeiro passo para essa libertação é perceber tudo o que carregamos e que acaba se tornando um peso sobre nossos ombros. Muitas vezes, esse fardo todo está lá sem que nem mesmo o percebamos, e acaba se tornando parte de nossa vida, do nosso dia a dia, a ponto de acharmos que as coisas são mesmo o que são, imutáveis. Quando percebemos que estamos com essa sobrecarga, vêm o desamparo e o dissabor. São sentimentos justos, porque ninguém quer carregar mais do que suporta. No entanto, é comum que, nesse momento, façamos um julgamento do mundo e de nós mesmos, e não raro esse julgamento nos leva a crer que esse fardo que carregamos é por culpa do mundo ou por nossa própria culpa, e em ambos os casos estamos corretos. Se, de fato, isso é culpa do mundo, podemos nos lamentar e alimentar algum pensamento fatalista, do tipo "A vida é assim mesmo". Isso, claro, não resolverá nada e, pior, permitirá que continuemos inertes em relação àquilo que nos desagrada, e isso nos leva a estar corretos também sobre aquele outro julgamento que fizemos: a culpa é mesmo nossa.

Ninguém além de nós pode mudar as situações que nos incomodam, então, sim, a culpa é nossa. Mas sermos culpados não significa que devamos nos punir. Somos nosso próprio juiz, mas também nosso próprio advogado, e, como tal, devemos argumentar em nossa defesa que já nos punimos o suficiente ao nos permitir viver tanto tempo levando mais peso do que somos capazes. Cientes disso, estamos pavimentando nossa estrada para a liberdade.

Essa estrada está em constante obra, e uma das ferramentas mais necessárias é nossa capacidade de encarar e acolher as sensações que surgirão. Muitas dessas sensações nos causam profunda tristeza, mas é o acolhimento delas que nos fará, diante dos recursos que temos, enxergá-las como momentos de falha, sim, mas que não poderão ser um fator de culpa por uma vida inteira. A tristeza que eventualmente se debruçará sobre nós é uma aliada. É por meio dela que perceberemos que algo esteve errado, mas que não precisa continuar assim.

Estamos em um permanente processo de tentativa de melhoria, e é por isso que em algum (ou em muitos) momento de nossa vida nos envergonhamos, porque, antes de sermos o que somos hoje, fomos algo "pior", de modo que falhamos, agimos negativamente. Se não reconhecêssemos e não nos envergonhássemos por isso, não estaríamos evoluindo. Mas estamos vivendo esse processo de autoconhecimento, e nem sempre descobriremos apenas coisas boas sobre nós, e não há problema algum, desde que saibamos nos perdoar. E não há motivo para recusar o autoperdão, porque, olhando para trás e vendo o que fomos e o que fizemos, muitas vezes dizemos a nós mesmos: "Eu nem sei por que agi daquele modo". Esse questionamento é a prova de que não aprovamos muito do que fizemos, porque agora somos outra pessoa, com mais autoconhecimento e mais capacidade para entender que todos erram. Então, por que não dar mais um passo adiante nesse processo de crescimento e nos autoperdoarmos?

Não somos mais o que fomos antes. Lá atrás, todas as nossas decisões e atitudes tiveram uma intenção maior, que pode não ser a mesma de hoje. E muito provavelmente não é. Muito daquilo que julgamos como um erro hoje não era visto com os mesmos olhos por nós antes. Ou seja, o erro, muitas vezes, só é um erro se visto com os olhos de quem já caminhou mais pela estrada do autoconhecimento. Quem errou foi o eu do passado, e cabe ao eu do agora perdoar, porque só existimos agora porque tentamos e erramos antes.

Estamos, agora, trabalhando com a consciência, e assim, mais conscientes de tudo o que já foi e de como desejamos que as coisas sejam a partir daqui, passamos a perceber tudo de um modo diferente. Ficam mais claros os sentimentos punitivos que nutríamos em relação a nós e a muitas de nossas ações. Mas esses sentimentos não nos interessam mais. Eles não fazem mais sentido, porque agora percebemos o quanto não nos serviam para nada além de nos fazer sentir mal em relação a nós mesmos, o que nos levava a cometer outro erro: o do julgamento e da autopunição.

Agora, nesta parte de nossa reflexão, somos capazes de perceber o quanto somos inocentes, e isso nos ajuda também em relação ao olhar que dirigimos ao outro. Todos nós estamos fazendo a mesma viagem e, pelo caminho, vamos encontrando entraves, situações com as quais não contávamos e em relação às quais temos de agir, mesmo sem saber como fazer isso. O resultado é que erramos, e erramos muito. Eu, você, todos nós. Estando cientes disso, somos capazes de perdoar esses erros, nossos e dos outros. Eis o poder da compaixão e da empatia.

Em nosso grupo de estudos, fazemos uma oração na qual se diz que em vasos rachados é que entra a luz.

Não, a oração não está nos incitando a nos quebrar. A mensagem que ela quer transmitir é a de que mesmo os "defeitos" podem nos trazer algo de bom, basta sabermos ver e trabalhar as possibilidades.

Você pode argumentar que a função do vaso não é permitir a passagem da luz, mas manter dentro dele a água ou a terra. E você está certo, se considerarmos a visão limitada à qual costumamos estar presos. Segundo essa visão, um vaso, depois de rachado, não tem mais serventia. Ainda assim, ele só é um vaso porque alguém moldou o barro para ter essa função. Mas nada é imutável, de modo que um vaso descartado pode ser transformado em outra coisa. Essa é a luz, a iluminação que nos fará ver que podemos ser mais do que somos, que podemos ir além e que não há nada de errado em, até aqui, termos sido o que fomos.

Pense: se um simples vaso, quando observado com um olhar mais liberto, pode nos dar essa valiosa lição, então quantas coisas maravilhosas poderemos aprender se abrimos nossos olhos e nosso coração para todas as nossas experiências sem fazer julgamentos?

Somos seres em construção permanente, e aqui, no ponto em que estamos, somos perfeitos como nos é possível ser. Portanto, devemos parar de cultivar a autopiedade, devemos ser capazes de perdoar os outros e, principalmente, de nos autoperdoar. Todos os resultados são, na verdade, ensinamentos, e cabe a nós a busca por uma ação positiva diante deles. Um modo eficaz de iniciar esse processo vem com as afirmações positivas:

1. Eu me perdoo agora por todas minhas ações maldosas e mesquinhas.
2. Eu me liberto de atitudes e ações negativas que possam prejudicar a mim e ao outro.
3. Eu acredito no meu poder de crescimento.
4. Eu decido me libertar da culpa e do ressentimento.
5. Eu sou um ser de luz.
6. Eu sou, eu sou, eu sou.

Você pode acrescentar outras afirmações positivas que possam contribuir para o seu processo de autopercepção e deixá-las em um local visível.

Mas isso tudo é uma decisão. Se você decidir agir nesse sentido, entregue-se a isso sem a presença insistente do ego, com o coração solidário e a mente genuinamente desperta.

Trabalhe sobre o seu destino, você tem o direito de ser feliz.

O que o impede?

COMO ESTÁ SUA CRIANÇA INTERIOR?

> "Ela me olhou e disse a coisa mais séria que eu já ouvi: você quer brincar comigo?"
> — *Allan Dias Castro*

Antes de iniciarmos este capítulo, gostaria de sugerir que você procure nas plataformas digitais a música "A criança que eu fui um dia", de Reverb Poesia.

Permita-se ouvi-la antes de prosseguir a leitura e sinta cada palavra.

Quantas sensações você conseguiu encontrar nessa canção? O que passa em sua cabeça neste momento?

Lá atrás, em nossa infância, nós não sabíamos de muitas coisas, mas intuíamos o mais importante: a vida é boa. E sempre acreditávamos que ela poderia ser ainda melhor. Tudo era um mundo de possibilidades, e nos encantávamos com o que íamos descobrindo ao nosso redor. O sorriso era fácil, as cores, mais vivas. Os dias de sol eram convidativos, mas, se a chuva chegava, nos apegávamos a outros modos de estar no mundo naquele momento, e quase sempre era divertido.

Sim, eu entendo que a vida adulta exige um pouco mais de nós e precisamos dar atenção a aspectos que, com um pouco mais de liberdade, não hesitaríamos em deixar de lado. No entanto, sonhos são sonhos, seja na infância ou na vida adulta, e não dar atenção a eles é o mesmo que andar em círculos no escuro à procura do interruptor. A responsabilidade é algo que não pode nos enrijecer com a vida adulta. Ela deve ser vista como uma conquista.

A gravata, o batom, a conta no banco... Essas coisas podem ser úteis, ou uma prisão. Para crianças, seriam apenas brinquedos, um vislumbre de um futuro que, espera-se, não se perderá em um emaranhado de obrigações.

Mas crescemos, e não é raro deixarmos de lado a criança que fomos um dia, longe da nossa presença, sem cor, sem calor e sem sorrisos. Vamos nos distanciando da leveza, da espontaneidade, do riso fácil e, principalmente, da flexibilidade.

Quando crianças, as novas possibilidades que nos são apresentadas são um mundo que desejamos explorar. Não pensamos se isso será fácil ou difícil, apenas queremos nos entregar aos possíveis caminhos, às descobertas. Tudo pode ser adicionado. Essa era a nossa flexibilidade em sua melhor forma. Mas crescemos, e agora tudo nos parece primeiro mais perigoso antes de ser prazeroso. Antes, viver era uma experiência. Agora, viver é uma regra. Está tudo bem. Não devemos nos julgar por termos nos tornados adultos e agirmos como tal. Esse é o processo natural da vida, sobre o qual não temos nenhum poder. O verdadeiro erro está em acharmos que o que é amargo é que deve receber mais atenção, quando, na verdade, nos interessa muito mais o sabor do picolé que derrete do que as manchas que ele deixa em nossa roupa. E essa era a nossa melhor versão: aquela que não dava valor àquilo que, de fato, não tem valor algum. Mas é exatamente dessa nossa melhor versão que nos afastamos quando permitimos que algo ou alguém nos estabilize. Assim, vamos perdendo nossa criatividade, porque agora seguimos regras, e as seguimos cegamente. E vamos perdendo nossa coragem, porque não desafiamos mais o mundo e aquilo que supomos ser a realidade. E vamos nos afastando de nossa pureza, porque agora vemos tudo e todos como a possibilidade de algo perigoso. A vida, aqui na vida adulta, perde aquele brilho etéreo e encantador. Aqui, somos uma obrigação em um mundo de obrigações.

Faça um exercício: tente se lembrar de algumas coisas das quais você gostava muito quando era criança e continua gostando mesmo agora, depois de adulto. Quantas dessas coisas você faz ainda hoje?

Talvez a resposta seja um tanto decepcionante, principalmente porque não faz sentido algum não fazer mais aquilo que gostamos de fazer simplesmente porque agora somos adultos. Aquilo que nos agrada continua lá, do mesmo jeito, mas, devido a mecanismos externos, cremos que aquelas coisas são mesmo "coisas de criança", como se um pirulito não tivesse, ao paladar adulto, a mesma doçura que tem ao paladar de uma criança. A diferença está no fato de que a criança percebe e dá a valor exatamente a essa doçura, enquanto os adultos veem esse excesso de açúcar como algo que pode nos colocar sob risco, seja sob a ótica da saúde ou da estética.

Sim, é claro que devemos nos preocupar com nossa saúde, mas isso passa também pela nossa saúde mental, e, para o bem desta, um bom exercício é nos permitirmos os prazeres que a criança que fomos encarava com tanta naturalidade. Andar de bicicleta, por exemplo, pode não ser apenas um bom exercício ou um bom modo de ir de um lugar a outro. Essas funções existem, é claro, mas andar de bicicleta não precisa ser apenas algo assim tão burocrático. Pode ser também algo muito divertido, e é assim que as crianças veem isso.

Esse é só um exemplo, e cada um de nós pode pensar em mais um grande número deles. O importante é trazer de volta aquela sensação de liberdade que nos invadia em nossa infância, quando fazíamos o que fazíamos simplesmente porque queríamos, e não porque precisávamos. E não estávamos preocupados com julgamentos. Para os adultos, nossas roupas sujas eram um problema a ser resolvido. Para nós, enquanto crianças, essas mesmas roupas sujas eram simplesmente o resultado de dias vividos com maestria. Até que, em algum momento que não conseguimos definir, algo mudou dentro de nós, algo que nos levou a perder um pouco da naturalidade, e está tudo bem com isso também. Ser adulto não é uma maldição, um castigo ou algo assim. É apenas uma condição, e também muito bem-vinda, com suas belezas e seus prazeres. No entanto, não somos obrigados a abandonar uma coisa em detrimento de outra. A criança que fomos continua existindo dentro de nós, só que agora nós a negligenciamos, a deixamos sozinha em um canto sem nada a fazer, um lugar onde ela fica calada, no escuro, apenas esperando para vir novamente à luz. E, mesmo com nossa negligência, essa criança que fomos e que ainda somos não nos julgará quando a libertarmos. Ela apenas nos agradecerá e fará o que as crianças sabem fazer de melhor: viver, e com muita alegria e prazer.

Ninguém concorda ao ver uma criança presa, tolhida de viver o melhor período de sua vida. Então por que fazemos isso com nós mesmos? Por que sermos nosso próprio algoz se podemos ser o que temos de melhor?

É necessário abrir os olhos e o coração para entender que não precisamos ser ferrenhos em defender nossa condição de adultos. O mundo já faz isso, independentemente de concordarmos ou não. E, também independentemente de concordarmos ou não, temos de viver como adultos. Temos obrigações, e de modo algum estou dizendo que devemos fugir delas. Só que a vida não é apenas isso, assim como a vida das crianças não é apenas escovar os dentes, ir à escola, comer legumes e essas coisas todas das quais elas não gostam muito. A diferença está em como encarávamos o mundo e a vida quando éramos crianças e como o fazemos agora. Antes, na infância, as obrigações eram apenas um adendo, algo que estava ali e do qual não poderíamos nos livrar. Já adultos, entendemos a importância desse aprendizado que nos foi dado por meio dessas coisas chatas, mas exageramos, e continuamos achando que a vida é mesmo só uma sequência de dias que existem apenas para que coloquemos nossas obrigações em ordem. E seguimos as regras. É certo que, sem regras, viveríamos no caos. Contudo, não há nenhuma regra que diga que não podemos viver a vida com mais leveza, que nos impeça de olhar para as pequenas coisas e ver nelas grandes possibilidades. E, se achamos que essas regras existem, é porque fomos convencidos, por nós mesmos e pelos outros, de que ser adulto é viver uma vida obrigatoriamente chata. Bem... nós somos adultos, os outros são adultos, então talvez não sejamos as pessoas mais indicadas para falar sobre leveza e diversão. Então que tal perguntar sobre isso a uma criança? E que tal se começarmos perguntando à criança que ainda vive dentro de nós, mas que está lá naquele canto esquecido, negligenciada, só esperando para estender um sorriso a nós e nos levar para um passeio àquilo que temos de melhor em nós?

Faça mais um exercício: chame a criança que há dentro de você aqui para fora, para brincarem juntos. Não a deixe sozinha aí dentro de você e não fique você sozinho aqui neste mundo de obrigações. Converse com a criança que você já foi e tente se lembrar das coisas de que ela gosta, das coisas de que você gostava. As brincadeiras, os desenhos animados, a surpresa com as descobertas. Tente se lembrar da força de seus desejos quando era criança, e de como a possibilidade de realizá-los o enchia de uma alegria que te preenchia por completo. E tente reviver as sensações de sua infância, um tempo em que a vida era mais colorida e dinâmica. Mais do que isso, tente guardar essas sensações em um lugar acessível, para que elas permaneçam com você o tempo todo a partir de agora. Enquanto isso, esqueça que você é adulto. Mais importante, esqueça que você tem a obrigação de mostrar a você mesmo e ao mundo que você é adulto e que tem de provar isso. Nem você e nem ninguém tem de provar nada. A criança que você foi tem de provar menos ainda. Então aproveite essa liberdade e brinque, dance, pule, corra atrás de borboletas, corra debaixo da chuva, crie personagens com as sombras... Enfim, não há regras para você agora.

Fazer uma criança sorrir é sempre muito gostoso. Mais gostoso ainda se essa criança for você mesmo. Então, reconecte-se, permita-se e colha os bons frutos desse encontro. E, se possível, não solte mais a mão da criança que você foi. A jornada pela vida será muito mais leve se a encararmos como um passeio, e não como uma viagem de negócios.

E, para começar essa caminhada com a criança que você foi, utilize o espaço a seguir para iniciar quebrando uma das regras chatas dos adultos: a de que não se deve rabiscar um livro. Rabisque, pinte, desenhe o que quiser, escreva uma cartinha para seu super-herói preferido, cole uma foto sua de quando criança e que faça seus olhos brilhar. Ou não faça nada disso. Não há regras.

FUJA DO VITIMISMO

"Faça o que quiser, pense como quiser,
mas não culpe ninguém pelos seus resultados."
— *Joel Moraes*

Nós, e apenas nós, somos os responsáveis pela vida que levamos.

Essa é uma verdade inconveniente, e pode ser bastante difícil lidar com ela, porque somos inclinados a acreditar que tudo de ruim que acontece conosco é culpa de alguém de fora. Por outro lado, somos bastante bons em nos vangloriar de nossas conquistas. Bem... se somos os grandes responsáveis pelo que há de bom em nossa vida, por que temos essa dificuldade em assumir que também nossas mazelas são fruto de nossas ações?

Muito provavelmente a parte mais difícil nessa nossa jornada pelo autoconhecimento seja reconhecer que não somos vítimas, que tudo é reflexo de nossas escolhas baseadas em ações, ambientes, comportamentos e crenças.

É claro que estou falando aqui de uma vida e de situações dentro de uma realidade que esteja o mais próximo possível do ideal de justiça. E digo isso porque, não, a culpa não é nossa se somos acometidos por algum tipo de violência dessas que assolam o mundo. No mais, tudo o que recebemos é fruto das sementes que plantamos, das ações que tomamos, dos caminhos que escolhemos. Isso, na verdade, não é novidade para a maioria das pessoas, no entanto, parece que essa verdade é incômoda o bastante, a ponto de não a querermos aceitar. Culpar o outro ou o mundo é muito mais confortável e nos desobriga de nos movimentar em direção àquilo que desejamos. Reclamar e nos fazer de vítimas nos parece confortável. E acreditem quando digo isso com conhecimento de causa.

Quando comecei a fazer trabalhos voluntários no grupo Semeadores da Luz, passei por diversos setores, mas foi na Triagem que me encontrei. A Triagem é o momento em que temos o primeiro contato com os assistidos, fazendo perguntas e conversando com eles a respeito das queixas apresentadas. Mais do que falar, ali precisamos saber ouvir. É um momento de reflexão por parte deles. A nós, cabe praticar a empatia e o direcionamento, e, durante os atendimentos, pude perceber quão numerosos eram os casos de pessoas que se sentiam vítimas das mais variadas situações. Nessas conversas, de não mais de trinta minutos, eu tinha a possibilidade de analisar o fato com maior empatia, ou seja, entendendo o outro a partir dele mesmo. O que pude perceber é que a falta de autorresonsabilidade existia na maioria dos casos.

Para quase todos, o mundo era culpado de tudo. Cabia a mim entender o porquê desse vitimismo. Não era meu papel fazer qualquer julgamento sobre isso, me interessava apenas ajudar aquelas pessoas a entender que a vida delas era o resultado de suas ações, e entender também o que nos leva a não aceitar os resultados dos caminhos que escolhemos. Assim, depois de tantos anos, a conclusão a que chego é a de que não existe acaso, tudo tem um porquê, tudo é resultado de algo, e, quando aprendemos a enxergar isso como um grande ensinamento, fica mais fácil e mais leve enfrentar os obstáculos da vida e até evitar muitos deles, pois, sabendo qual será a reação para determinada ação, podemos escolher trilhar ou não esse caminho. No fim das contas, é uma simples questão de escolha.

Mas essa realidade não está restrita àquelas pessoas que atendi. Essa "facilidade" em atribuir ao outro nosso insucesso, nossas tristezas ou nossos "problemas" é percebida de forma recorrente na maioria das pessoas. É como se estivéssemos andando na escuridão sem nada com que contar a não ser com as mãos que nos são estendidas e que têm como único objetivo nos desviar de nosso caminho correto, ou nos levar às barreiras, ou apenas simplesmente não permitir que sigamos adiante.

Sim, mãos como essas existem, no entanto, temos toda a liberdade para escolher segurá-las ou não. No fim das contas, são nossas próprias mãos que estão evitando nosso progresso, porque as mantemos em frente aos olhos, nos cegando. A escuridão na qual caminhamos, na verdade, é criada por nós mesmos, e sair dela deve ser também uma escolha nossa. O caminho para isso começa com a capacidade, que devemos desenvolver, de analisar os fatos de modo claro, objetivo, imparcial e, principalmente, sem vitimismos, pois só assim teremos o discernimento necessário para reconhecer os limites entre aquilo que cabe a nós e todo o restante. E o que cabe a nós é quase tudo, porque ninguém mais além de nós pode ser o protagonista de nossa própria história.

Essas são as questões que, em meus atendimentos, coloco na linha de frente, para que as pessoas percebam sua própria realidade com um novo olhar, diferente daquele tomado pelo imediatismo e egocentrismo que costumam nos acompanhar. Esses sentimentos nos causam o desejo de que nossa vontade e nossa verdade prevaleçam a qualquer custo, e, assim, não praticamos a fraternidade necessária para avaliar a situação sob outra perspectiva. Sem essa avaliação e sem essa capacidade de enxergar o outro, fatalmente continuaremos na armadilha de acreditar que o mundo deve nos servir. Como isso não acontecerá, permaneceremos nesse estado de insatisfação criado pela falsa certeza de que tudo e todos estão nos prejudicando.

Mas essa é uma maneira bastante limitada de avaliar as coisas. As circunstâncias são bem mais complexas do que isso, por isso, é necessário avaliá-las de uma forma macro, para entender um pouco a desordem ao nosso redor e então fazer a pergunta que poderá começar a nos ajudar a sair da escuridão: qual é minha responsabilidade nessa desordem?

É uma pergunta que deve ser respondida com clareza e consciência, para que tenhamos condições de pensar de modo ordenado e, com isso, encontrar o melhor caminho para resolver a situação, seja ela pontual ou mais geral. E é esse o caminho que sugerimos aos assistidos. Fazemos a eles perguntas cujas respostas nos ajudem a identificar suas queixas, e nossa orientação quase sempre é a de que a mudança que eles tanto buscam está totalmente vinculada às decisões que eles tomam. Essas decisões são fruto de como encaramos os diálogos que temos com os outros e com nós mesmos, de nossa tolerância em relação a um modo diferente de pensar, de nosso engajamento em querer verdadeiramente estar abertos a ver as coisas sob novas perspectivas e da atitude necessária para agirmos de modo a atingir os objetivos desejados. E está claro que tudo isso depende única e exclusivamente de nós.

Nesse caso, apenas o desejo não nos serve para nada. Querer sem agir só nos causará frustração, porque ninguém além de nós está mais disponível e capacitado para ir atrás das mudanças que queremos ou de que precisamos.

Há muitos exemplos de situações às quais não damos atenção, em relação às quais não agimos, mas mesmo assim desejamos um resultado diferente daquele único possível em caso de falta de ação:

- Não cuido da saúde, mas não quero adoecer.
- Não invisto em estudos, mas quero um bom emprego.
- Não pratico a empatia, mas quero que as pessoas me entendam.
- Não me considero importante, mas exijo que o outro me considere.

E por aí vai.

Infelizmente, o mundo não existe para atender a nossas vontades. Nós é que devemos traçar nossa rota, definir quais caminhos seguir e acreditar nas nossas escolhas, porque não há como chegar a lugar algum se não houver movimento.

Sem movimento, somos apenas figurantes em nossa história. Batemos palmas para o astro principal, desejamos ser como ele, mas não fazemos nada para isso, até que de repente nos damos conta de que, se queremos os aplausos, precisamos tomar a direção de nossa vida. Ela é nossa, e ninguém mais tem como saber o que somos, o que sentimos e o que queremos. E então, quando começamos a nos tornar os protagonistas de nossas histórias, enxergamos nitidamente nosso papel na vida, e a mudança chega. Mas precisamos aprender a bater palmas para nós mesmos e não esperar (apenas) as palmas dos outros.

A liberdade é o bem mais precioso que podemos ter. Tudo o que fazemos é em nome dela. A liberdade de escolher, de ir, de ficar, de ser quem somos. Todos desejamos a liberdade de poder escolher nossos caminhos, e, no fim das contas, é isso mesmo o que acontece, mesmo que acreditemos no contrário. Por mais difícil que a vida possa ser, por mais pedras que possam haver em nossa percurso, por mais que haja dedos tentando apontar o caminho que devemos seguir, no fim, o que existe é apenas nossas escolhas. Temos a liberdade até mesmo de escolher ser dominados. Ou seja, se até isso podemos escolher, está claro que a responsabilidade é toda e sempre nossa. Por mais que outras pessoas tentem, não há como lutar contra a vontade que existe em cada um de nós. Essa vontade, esse desejo, pode, no máximo, ser domado, e isso apenas se nós assim permitirmos. E, mais uma vez, a escolha será nossa.

Então não vale a pena ficar achando que somos vítimas das circunstâncias. É perda de tempo, de foco, e ninguém merece isso. O tempo é um bem precioso, e, se o gastamos com lamentações e vitimismos, não temos como recuperá-lo. Além disso, é muito mais vantajoso se focarmos o que realmente nos interessa, que é prosperar. E devemos fazer isso estando cientes de que, na busca por esse objetivo, encontraremos obstáculos, mas que o maior deles será nós mesmos, se não cuidarmos de observar toda a liberdade que temos para querer, fazer, errar, fazer de novo, e de novo, quantas vezes forem necessárias. E, se a vida for curta demais para tantos objetivos, não tem problema. Sem o medo de termos nossos passos travados, o caminho percorrido será maior, as experiências serão mais variadas e enriquecedoras, e, independentemente de conseguirmos tudo o que inicialmente queríamos, descobriremos como conseguimos muitas outras coisas que nem sequer sabíamos que queríamos. Essa será uma experiência verdadeiramente recompensadora.

E, sim, situações difíceis existirão, muito provavelmente em número maior do que esperávamos. A primeira opção para lidarmos com elas é abaixar a cabeça e se lamentar, no entanto, sabemos que isso nunca levou ninguém a lugar algum. Talvez apenas a um poço cada vez mais fundo, e nada mais. A outra opção é ressignificarmos essas situações e dar um novo sentido a elas, porque nada é inerte e imutável, e o que parece ser ruim pode, na verdade, ser a chance de obtermos algo muito melhor. A forma como conduzimos a situação é que é o agente transformador.

A vida que estamos levando é fruto de tudo o que atraímos com nossas ações, e perceber que somos os responsáveis pelos nossos supostos fracassos nos coloca atentos ao que precisa ser feito. Certamente, a autopiedade não fará muita coisa por nós, a não ser nos levar à sabotagem de nossos próprios atos, justificando nossas falhas e querendo sempre encontrar outros "culpados". Essa negatividade é algo que alimenta a si mesmo, tornando mais e mais poderosa e dominadora, até que, acreditando que o outro sempre nos causará dores, deixamos de agir, e isso é quase como estar morto em vida.

O mundo aí fora não tem tempo para bajulações. A verdade é que você sempre precisará se levantar e fazer o curativo de suas feridas, e essa responsabilidade é sua. Ou você pode evitar se machucar, o que é muito mais fácil quando assumimos as rédeas de nossa vida, incluindo aí a responsabilidade por nossas falhas e frustrações, o que também requer bastante coragem. No entanto, precisamos entender de uma vez por todas que a decisão só cabe a nós.

Ter consciência da situação já é um grande passo para a mudança, porque, assim, começamos a enxergar a autorresponsabilidade e passamos a agir de acordo com a visão positiva dos fatos, e então podemos nos sentir no caminho do progresso, porque a vida é um grande reflexo de nossos pensamentos e de nossas ações, e essa visão determina qual caminho percorreremos. Quanto maior for a dificuldade de perceber o mundo (interno e externo), maior será a incapacidade de exercer a chamada autonomia emocional.

Ou nos tornamos vítimas, ou nos tornamos seres libertos caminhando em direção à transformação. Então, é isso. Temos o poder de escolha. Portanto, como você pretende conduzir essa jornada?

Acredito que estamos aqui com um grande propósito de evolução. O desenvolvimento pessoal traz à tona todo o potencial que está dentro de nós, fazendo com que tenhamos uma melhor percepção da vida, contribuindo com a construção do conhecimento humano e encontrando, assim, nosso lugar no mundo.

COMO VOCÊ LIDA COM SEU EGO?

> "O EGO É EXATAMENTE O OPOSTO DO VERDADEIRO EU. O EGO NÃO É A PESSOA. O EGO É A DECEPÇÃO CRIADA PELA SOCIEDADE PARA QUE AS PESSOAS POSSAM CONTINUAR VIVENDO NA FANTASIA E NUNCA SE PERGUNTEM A RESPEITO DA REALIDADE. É POR ISSO QUE INSISTO, SE O HOMEM NÃO ABANDONAR O EGO, NUNCA CHEGARÁ A SI MESMO."
> — *Osho*

Falar sobre ego já foi bem mais difícil para mim, era um assunto que gritava alto na minha mente.

Sempre defendi com muita força minhas opiniões, mas chegou um momento em que meu modo de me comunicar começou a não fazer tanto sentido para mim (e, suponho, para os outros), então, percebi que aquilo não passava de um capricho de uma pessoa mimada. E imaginem o quanto não foi difícil para mim assumir que eu estava, sim, agindo exatamente como uma pessoa mimada. Difícil, porque o ego nos prega essa peça de nos fazer imaginar que sempre temos razão, que somos o centro o universo e que o mundo e todas as pessoas estão aqui para atender às nossas vontades.

Eu, vestida de meu ego, me escondia atrás de meu senso de justiça deturpado e queria estar sempre com a razão, muitas vezes utilizando o autoritarismo, sendo impositiva e, por vezes, grosseira. No entanto, aquela não era eu de verdade. Era apenas uma cópia malfeita do que sou. Ou talvez fosse uma parte de mim, uma parte verdadeira, mas que sei ser a pior parte, aquela que não tem motivos para vir à luz. Todos temos uma parte assim dentro de nós, mas ela não precisa (e quase sempre não deve) ser a que tem a voz mais ativa. Essa parte é nosso ego.

Mas nós não somos o nosso ego. O ego nada mais é do que um comportamento individualista, medroso, fraco e mesquinho que vive querendo sempre mais, porque, para ele, o que temos não é bom o suficiente. Ele não desfruta do que temos. Ele deseja aquilo que ainda não possuímos, e essa insatisfação será recorrente. Sabe por quê? Por vaidade.

Assim como uma criança ainda pequena não é capaz de entender que há mais no mundo do que ela própria, nós, quando deixamos o ego assumir as rédeas de nossa vida, também teremos essa dificuldade. Contudo, diferente de uma criança, nós, adultos, somos capazes de entender que o mundo não está aqui para nos servir. O que acontece é que, apesar de entender essa verdade, temos muita dificuldade em aceitá-la. E como nossa aceitação ou não sobre isso não mudará o modo como o mundo funciona, então temos de enfrentar a decepção quando somos obrigados a encarar a realidade de que nossos gritos não emitem som algum. Para o mundo fora de nós, somos mesmo apenas pessoas bastante mimadas e que não sabem lidar com as frustrações. E acreditem: não há melhor receita para a frustração do que acreditar que somos maiores do que todo o restante. Não, não somos maiores e nem estamos em um ponto mais alto do que todas as outras pessoas, e quando percebemos isso, a única coisa realmente grande é a distância que temos de percorrer em nossa queda. E isso dói.

O ego está lá, dominando o que somos, e continuará assim, a menos que estejamos abertos a uma autoanálise que nos leve a perceber que podemos ser melhores se entendermos que somos uma parte de um todo, e para isso, o ego tem de ser dominado. Isso não é fácil, assim como nada é fácil em nosso caminho pelo autoconhecimento. Mas as recompensas valem o esforço, e uma delas é exatamente não sermos mais dominados por algo que tenha tão pouco de bom a nos oferecer. Mas o ego não quer que saibamos disso. Ele não gosta de ser descoberto, deseja viver no anonimato e sempre usará alguma justificativa para isso. Se conseguirmos perceber isso e o domínio que ele, o ego, exerce em nossa vida, já será um ótimo começo.

Depois dessa percepção, deve vir alguma ação, porque, sem ela, nada mudará. Nessa tentativa de ação, durante essa mudança, o ego fará o que ele sabe fazer de melhor: tentará nos convencer de que as coisas estão certas como estão, que é ele quem deve indicar o norte que devemos seguir. E, se ele perceber que está perdendo terreno, fará birra, exatamente como uma criança que não aceita não receber toda a atenção. Mas o ego não é uma criança e não deve ser tratado como tal. Não deve haver uma segunda chance para ele e nem se deve esperar que ele cresça e amadureça. Muito pelo contrário, devemos evitar dar a ele espaço para isso. Nós, inseridos em um mundo em que a colaboração mútua se mostra como sendo o melhor modo de evoluir, é quem devemos ter voz ativa. Talvez seja difícil, talvez haja confusão quando tentarmos nos separar daquele outro nós que é comandado pelo ego. Não é tarefa fácil, e não devemos ser exigentes demais conosco. Mas após darmos o primeiro passo, tudo ficará mais fácil à medida que nos tornamos pessoas mais abertas a novos pontos de vistas, menos intransigentes, porque as outras pessoas notarão isso e nos estenderão a mão com mais frequência e mais facilidade. É um caminho que alimenta a si mesmo em direção à evolução e melhoria constantes.

De modo algum estou aqui alegando que não devemos querer o que é bom, ter sucesso material ou progredir.

São esses desejos saudáveis que movem a vida. Sem eles, seríamos inundados por um sentimento de marasmo e incompletude que tornaria a vida mais um peso do que uma dádiva. O que está em questão aqui é o não contentamento com o que já temos, é a necessidade de *ter* algo com o intuito de gerar algum *poder*, e esse é o motivo errado para querer o quer que seja.

Esse desejo por poder é um indicativo de que algo está muito errado dentro de nós, de que algo está nos faltando, e estamos buscando esse algo em um lugar onde ele não pode estar: fora de nós. Seja para que tenhamos todos os nossos desejos atendidos ou simplesmente para obter puro reconhecimento. Independentemente de qual seja nosso motivo para desejar ter tudo e obter poder, tudo o que ganharemos com isso será a frustração, porque jamais conseguiremos ter tudo, e mesmo o poder sempre estará submetido, em algum momento ou situação, a outro poder maior. Assim, continuaremos nossa busca por algo inalcançável e estaremos cegos para o verdadeiro poder, que é o de obter satisfação a partir do que já se tem.

Mais uma vez, afirmo que a intenção aqui não é informar nem convencer de que o conformismo é tudo o que deve ser alcançado. Até porque mesmo ele é um objetivo inalcançável. Sempre estaremos querendo algo mais, e isso é saudável, desde que esse desejo seja baseado em necessidades reais, e não em objetivos gananciosos.

Como afirma Jennifer Louden, pioneira em crescimento pessoal que ajudou a lançar o conceito de autocuidado, em seu livro *Life Organizer*: "Não são suas ações, mas o motivo por trás delas que faz toda diferença" (tradução livre).

Ou seja, a motivação é o que define nosso sucesso ou fracasso. Isso não quer dizer que não conseguiremos o poder se assim desejarmos. Significa que essa motivação não será o que nos fará mais felizes ou pessoas melhores para nós mesmos e para os que estão ao nosso redor. Ela pode até nos levar ao nosso objetivo, se agirmos conforme o que desejamos, mas, por trás dela, sempre haverá algo que jamais poderá ser pleno, porque dependerá de fatores externos a nós.

É claro que não estamos em uma competição para saber quem é mais feliz ou mais útil à sociedade, e esse é exatamente o ponto: não estamos em uma competição por coisa alguma. Estamos apenas vivendo e buscando fazer isso da melhor maneira possível. Apenas nós podemos fazer isso por nós mesmos, e essa caminhada se torna mais fácil quando não temos pessoas ou situações para dificultá-la com coisas como mesquinhez, autoritarismo ou egoísmo. E, se isso vale para nós, vale também para os outros. Portanto, cabe a nós perceber como nossas atitudes egoicas afetam de modo prejudicial as pessoas que estão ao nosso redor. Se não queremos ser afetados de modo negativo, por que faríamos isso em relação ao outro?

O ego faz parte de nós, somos indissociáveis, mas ele não é nosso dono. Sua importância está em nos fazer perceber nosso lugar no mundo e o valor que temos, mas sem que isso ultrapasse a barreira do limite sadio. Devemos ouvir nosso ego e saber quando silenciá-lo, e essa sabedoria vem de nós, e não dele.

AUTONOMIA EMOCIONAL

"Liberdade é pouco.
O que eu desejo ainda não tem nome."
— *Clarisse Lispector*

Defenderei sempre esse direito, porque ele precisa ser defendido, e muito. Não apenas por mim, mas por todos, assim como todos os direitos devem ser sempre defendidos.

Autonomia emocional é a liberdade de exercer a responsabilidade por si mesmo. Veja bem, trata-se não de um dever, mas de uma liberdade. Porém, para quem quer entender a si mesmo e, mais do que isso, ser quem e o que é, é fundamental que essa liberdade seja vivida como se fosse um dever. E para começar a exercer essa liberdade, é necessário que tenhamos alguns conhecimentos fundamentais sobre quem somos e o que queremos.

Muitas pessoas têm dificuldade de saber onde estão e, principalmente, para onde vão, e isso é resultado de um conhecimento bastante superficial sobre si mesmo. Como saber os destinos que desejamos, se não sabemos quem somos nem onde estamos? Como saber quais são nossos objetivos se temos dificuldades até mesmo de saber quais são nossos verdadeiros sonhos ou de simplesmente nos lembrar de situações que nos deixam felizes? Quando olhamos para trás, é normal nos lembrar de dias, períodos ou situações que desenham um sorriso em nosso rosto. Não raro, esses momentos são lembrados como "um dos melhores dias de minha vida". Bem, isso significa uma coisa: que naquele dia, naquela situação, nós vivemos algo que deveria ser buscado, para que aquele melhor dia de nossa vida se torne uma constante. Se aquele foi um dia memorável, por que viver uma vida inteira sem mais dias como aquele? Por que não buscar a mudança que nos leve a jamais pensar: "Eu era feliz naquela época e não sabia". A época boa pode (e deve) ser a vida toda, ou pelo menos a maior parte dela.

Se não temos lembranças de dias assim, então não sabemos quais são nossos sonhos e desejos, e então outras pessoas sonharão e desejarão por nós, até que nos tornemos nada além de uma sombra daquilo que verdadeiramente gostaríamos de ser. E o pior é que, na maioria dos casos, nem mesmo nos damos conta disso e seguimos vivendo uma vida sem sentido. Estamos no mundo, existimos, e isso é tudo. Bastante triste, não?

E aí passamos a viver sonhos que não são nossos. Aquela viagem à praia que outra pessoa fez passa a nos parecer interessante, porque as fotos nas redes sociais ficaram ótimas, com todos rindo e se divertindo. O carro do ano que aquela outra pessoa comprou também nos parece um bom sonho, já que não temos o nosso próprio sonho. E também aquele posicionamento do vizinho sobre determinado assunto parece algo inteligente, então, talvez devamos pensar igual. E assim vamos nos moldando segundo quem está ditando as influências, porque eles são a maioria, e não queremos errar nem parecer diferentes, muito menos ser julgados.

Sim, a praia pode mesmo ser uma boa ideia, a menos que detestemos areia grudando no corpo, a brisa salgada e o sol nos queimando. O carro do ano também é ótimo, desde que não nos seja um fardo passar os próximos quatro ou cinco anos trabalhando mais do que deveríamos apenas para pagar as prestações. E o posicionamento do vizinho pode mesmo ser bastante inteligente, desde que não haja outro modo também tão ou mais inteligente de ver as coisas.

Não estou fazendo juízo de valores e dizendo o que é ou não é bom. Essas situações sobre as quais falei são apenas exemplos, uma tentativa de mostrar que as coisas são boas para quem as deseja. As coisas são boas na medida que são, de fato, desejadas, sejam elas concretas ou abstratas.

A questão aqui é ser capaz de responder a uma simples pergunta: por que fazemos o que fazemos?

Ter uma resposta clara para essa pergunta muda todo o contexto da situação, porque é a clareza ou não dessa resposta que define se sabemos quem somos, onde estamos e o que queremos.

Há uma frase bastante usada e que demonstra muito bem o que quero dizer: "Está seguindo a manada".

É comum usarmos essa frase para descrever alguém que claramente está fazendo a mesma coisa que a grande maioria está fazendo, e é uma frase cheia de julgamentos, porque, de fato, não sabemos os motivos que levam as pessoas a fazerem o que fazem. E assim, nós também seguimos a manada, porque fazer julgamentos é o que todo o mundo faz, quando, na verdade, deveríamos antes olhar para nossas próprias ações e fazer a nós mesmos outra pergunta muito importante: "eu estou indo nesta direção porque eu quero ou porque é isso que todos estão fazendo?".

É aí que está a importância de não julgar o movimento alheio, porque eu posso ir na direção da manada, desde que eu queira e saiba o porquê de estar percorrendo aquele caminho e qual o tipo de resultado tal influência gerará em minha vida. Muitas vezes, a manada segue em uma direção porque, de fato, aquela é a melhor direção para todos, e isso é percebido por todos. Mas esse nem sempre é o caso, porque há situações em que seguimos um rumo determinado por outras pessoas apenas porque não fazemos a mínima ideia de qual rumo desejamos tomar de verdade, e isso porque também não temos nenhuma ideia do que desejamos e esperamos da vida. E assim, mais uma vez, somos presas fáceis para aqueles que querem ditar as normas.

Normas são úteis, desde que façam sentido para todos e não sejam apenas um conjunto de ideias alheias que são seguidas única e exclusivamente porque não somos capazes de tomar nossas próprias decisões baseados em nossas vontades. Por isso, é muito importante proteger-se do modismo, e o melhor modo de fazer isso é descobrindo quais daqueles pensamentos e ações são realmente nossos e quais estamos pegando emprestados devido à lacuna no nosso autoconhecimento que chega ao ponto de nem mesmo sabermos o que queremos. Essencialmente, somos um conjunto de princípios, e são eles que governam nossas escolhas. Se não fazemos escolhas conscientes, talvez nossos princípios sejam um tanto voláteis, e seremos facilmente dominados por vontades alheias que não nos dizem nada e só servirão para nos causar insatisfação.

Outro fator importante a ser levado em consideração é a dependência alheia, aquela que nos acorrenta a outras pessoas. Por vezes, existe o desejo de que o outro faça por nós aquilo que nem nós mesmos fazemos.

Ora, onde está a coerência nisso? Se o desejo é nosso, por que esperar que outra pessoa, que não nós, se mova para atendê-lo?

Esse é um terreno bastante fértil para a frustração, porque dificilmente seremos atendidos pelo outro do mesmo modo e com o mesmo ímpeto com que atenderíamos a nós mesmos. No entanto, depositar no outro nossa expectativa parece facilitar as coisas, porque tira de nós uma possível culpa devido a um erro ou a algo insuficiente, e, assim, vamos usando o outro como muletas para nossas omissões e nossa falta de ação. Mas essa é só mesmo uma facilidade aparente, um suposto conforto ao qual nos agarramos com medo de ter de assumir o controle da busca pela realização de nossos desejos. Além disso, é uma atitude bastante egoísta, porque, agindo assim, jogamos nas costas do outro a responsabilidade por nossa felicidade e satisfação, e esse outro não tem nenhuma obrigação de nos atender em relação a isso. Buscar o melhor para nós é uma responsabilidade nossa.

Sim, é verdade que uma de nossas necessidades básicas é a conexão com outras pessoas. No entanto, quando transferirmos ao outro uma responsabilidade que é nossa, nos fazendo dependentes, soa o sinal de alerta.

Ter autonomia emocional e saber o que queremos é o melhor e mais garantido caminho para nossa liberdade de escolha, e, quando somos capazes de escolher à luz da consciência, nos tornamos os verdadeiros responsáveis pela nossa história. Muitas vezes, haverá tentativas alheias de nos coagir a ter um pensamento que não é nosso, ter uma opinião que não é nossa, querer algo que não queremos verdadeiramente, e nem sempre essa coação significa que estamos sendo atacados ou que, de fato, nossas opiniões e desejos sejam errados ou menos importantes. Algumas vezes, outros tentam nos coagir a seguir o caminho que seguem simplesmente porque acreditam tanto que apenas o rumo que eles tomaram é o certo que não são capazes de entender que o caminho a ser trilhado é uma escolha pessoal de cada um. E está tudo bem ser assim, porque demonstra a certeza que essas pessoas têm de que estão no caminho certo, e talvez elas queiram isso também para nós. Mas, em outros casos (e infelizmente eles são muitos), a coação tem como meta dominar, para que aquele que coage obtenha o que ele deseja. Tenho certeza de que você é capaz de pensar em muitos exemplos de casos assim. E... bem... acho que ficou claro que a melhor maneira de se proteger disso é sendo dono dos próprios desejos, não é?

Mais do que isso, tendo essa percepção, essa consciência de conexão com a própria essência, nos tornamos mais aptos a percorrer o caminho do crescimento pessoal com menos obstáculos, seja através dos estudos, de conversas com amigos, de terapias (que julgo de extrema importância). E, assim, podemos estruturar o processo de autoconhecimento em uma base sólida criada por nós mesmos levando em consideração quem somos, onde estamos, aonde queremos chegar e, mais importante, como queremos conduzir essa jornada.

ESTEJA AO LADO DE PESSOAS QUE AUMENTEM SUA MÉDIA

> "Conversa com aqueles que possam fazer-te melhor do que és."
> — Sêneca

Se você quer pegar uma gripe, a receita é simples: cerque-se de gripados, a menos que tenha um sistema imunológico extremamente eficaz.

Isso vale tanto para o corpo quanto para a alma, para nosso estado de espírito. E assim como nosso sistema imunológico deve estar preparado para lidar com os possíveis ataques de vírus, nós, nossa alma, aquilo que somos, também deve estar apta a não se deixar contaminar pelas más influências e pelas energias negativas. O modo mais eficaz de não pegar uma gripe é se manter longe dos gripados, logo... Bem, você entendeu, não é?

De modo geral, temos a liberdade de escolher as pessoas com quem convivemos. Mesmo assim, há inúmeras situações em que temos de estar na presença constante de outras pessoas com as quais não escolheríamos conviver se tivéssemos essa escolha: colegas de trabalho e de escola, vizinhos, os frequentadores de templos religiosos e até familiares. O mundo é de todos, e todos têm o direito de estar onde bem quiserem, então, cabe a nós escolher quais dentre essa multidão serão as pessoas que nos acompanharão em nossa jornada. Cada um tem um critério para essa escolha, e não há um critério melhor do que outro. Geralmente, nos cercamos de nossos iguais, e analisar as pessoas com quem escolhemos conviver pode nos dizer muita coisa sobre nós. É por isso que quando, durante meu Treinamento de Desenvolvimento Pessoal, aprendi que somos a média das cinco pessoas com as quais mais convivemos, passei a analisar com mais atenção as pessoas ao meu redor, porque isso me ajuda a entender um pouco melhor a mim mesma.

De modo algum estou dizendo que nossos fracassos se devam exclusivamente àqueles que nos cercam. Como já tratado antes, devemos ser responsáveis por nós mesmos e pelas consequências de nossas escolhas. O que estou dizendo é que somos influenciáveis, apesar de sermos propensos a acreditar que nosso modo de pensar e encarar o mundo seja o único modo correto. Mas dificilmente assumimos ser influenciáveis, então, temos predileção por nos cercar de pessoas que não poderão nos influenciar, porque já pensam de modo bastante parecido com o nosso. E quando isso não é possível, quando as pessoas com quem temos de conviver não são uma questão de escolha, jogamos sobre elas a culpa por tudo o que não funciona como desejávamos.

Essa é apenas uma das possibilidades. Não temos controle sobre as pessoas que dividirão o dia conosco no trabalho, por exemplo. A outra possibilidade é aquela que nos permite fazer escolhas, incluindo aí as pessoas que se tornarão aquelas mais próximas de nós, e essa é de nossa total responsabilidade, assim como o são as consequências dessa escolha.

Sempre acreditei no poder da energia. Definitivamente, é mais agradável conviver com algumas pessoas do que com outras, então, julgo fundamental percebermos quem está ao nosso lado nos ajudando a assimilar o sentido da vida. Muito do que somos é fruto de nosso meio, e neste caso, nosso meio pode ser "moldado" por nós mediante nossas escolhas. Assim, temos o poder de escolher conviver com pessoas que mais se enquadrem em nosso modo de ver a vida e de seguir por ela ou com outras, que, melhor ainda, podem nos ajudar a ajustar nosso modo de ver e estar no mundo, tornando-nos melhores para os outros e para nós mesmos. E o melhor disso é que esse é um fenômeno replicável, ou seja, nós, sendo melhores para os outros, os ajudamos a também se tornar melhores, alimentando, assim, uma roda de evolução.

Pessoas que nos agregam valores, nos impulsionam a ser melhores, nos fortalecem, nos ensinam e nos contagiam com sua energia são de grande valia para nosso desenvolvimento. No entanto, sabemos que nossa vida é composta por diversos fatores e que, por vezes, precisamos conviver com indivíduos que geram algum tipo de desconforto. Então, como lidar com isso de modo a não sermos afetados e nem afetar os outros? Afinal, também podemos gerar desconforto em algumas pessoas.

Ninguém gosta de ter seus defeitos e suas falhas apontados. Além disso, ninguém é perfeito a ponto de poder se julgar como sendo o juiz das falhas alheias. Portanto, o melhor modo de ajudar os outros a se tornar pessoas melhores é por meio do exemplo.

Se nossas atitudes não são positivas, seremos um péssimo exemplo, seremos os gripados infectando os demais. Mas as boas ações também são como um vírus, e, nesse caso, a transmissão só fará bem. Por meio delas, podemos contagiar positivamente as pessoas ao nosso redor, e isso retornará para nós. É a roda da expansão da consciência e da evolução girando.

Não estou dizendo que devemos escolher as pessoas só pelas qualidades, afinal, aquilo que julgamos como defeitos nos outros pode nos fazer repensar e ter a certeza de que não queremos ser como eles. O que estou dizendo é que, infelizmente, muitas pessoas acabam vivendo situações difíceis e desgastantes por medo, comodismo ou dependência de pessoas tóxicas, e nem mesmo se dão conta de que estão presas a essa realidade perturbadora. E é aí que está o grande desafio: detectar essa realidade e conseguir se livrar dela.

Se pudéssemos, melhoraríamos as pessoas, as contagiaríamos com as boas ações e os bons pensamentos. É a história sobre o exemplo de que falei há pouco. Mas isso nem sempre é possível, então, temos de saber a hora de nos afastar. E não há nada de covardia nisso, porque, para ajudar aos outros, precisamos estar bem conosco, e isso se torna muito mais difícil se estamos presos a pessoas que alimentam sentimentos ruins em nós. Ainda assim, como em quase tudo na vida, ter essas pessoas ao nosso lado também pode trazer algo de bom, desde que estejamos abertos a perceber os aprendizados trazidos por tudo o que acontece, de bom e de ruim. Eu, por exemplo, sempre me pergunto: o que tenho a aprender com isso?

A resposta a perguntas como essa pode nos fazer dar mais atenção aos nossos movimentos e às nossas escolhas. Prestar atenção a que tipo de pessoas estamos atraindo para nossa vida nos faz refletir de forma ampla sobre o porquê de elas estarem chegando até nós (e permanecendo), e posso afirmar que observar as pessoas com as quais você se relaciona diz muito sobre você, e a primeira dessas informações é a de que talvez você não esteja tão consciente sobre si mesmo, sobre os caminhos que quer seguir e nem sobre onde quer chegar.

Quando estamos despertos, conscientes sobre quem somos, sobre o lugar que queremos ocupar e, o mais importante, sobre como queremos viver essa experiência, conseguimos definir melhor com que tipo de pessoa queremos conviver. E a partir do momento em que somos capazes de, mais do que simplesmente escolher, trazer esse tipo de pessoa à nossa convivência, passamos a viver em ambientes muito mais agradáveis e possibilitadores. Assim, nos tornamos também pessoas mais agradáveis e passamos a também contribuir para o crescimento de quem está ao nosso redor. Isso é contagioso, e que bom que é assim!

Acredito que isso seja algo que todos desejamos, então, para que possamos aumentar cada vez mais nossa média, devemos fazer algumas perguntas em relação às pessoas com as quais nos relacionamos, perguntas que nos possibilitem analisar melhor se esses relacionamentos trazem algum ganho para todos.

Eu me sinto bem ao lado dessa pessoa?

Existe uma troca real?

Sorrimos juntos?

Desejamos evoluir?

E se queremos a evolução também do outro, podemos sugerir que ele também faça essas perguntas a si mesmo. Mais do que isso, devemos estar abertos aos indicativos de que talvez não estejamos sendo uma boa companhia para alguém, porque, por mais que nos esforcemos, jamais poderemos agradar a todos, e não tem problema algum as coisas serem assim. Aceitar as próprias limitações faz parte do processo de crescimento pessoal, que, no fim das contas, é o objetivo de todos nós.

BENEFICIE-SE DE SEUS PONTOS FORTES

"Técnicas determinam se você pode fazer alguma coisa, enquanto talentos revelam algo mais importante: com que qualidade e com que frequência você a faz."
— *Donald O. Clifton*

Há, entre nós, aqueles que são peritos em reconhecer em si mesmos as qualidades, aqueles pontos em que são realmente bons. Há os que até extrapolam isso, julgando ser bons em tudo ou quase tudo. Mas o contrário também é verdadeiro, pois são muitas as pessoas que têm dificuldades em enxergar qualquer coisa boa em si mesmas, chegando até a ter a humildade exacerbada.

Seja como for, todos, sem exceção, somos bons em algo. Todos temos nossos pontos fortes, aquilo que nos destaca e que, se bem trabalhado, pode nos trazer incontáveis benefícios. Muitas vezes, esse algo em que nos destacamos é tão gritante que nem mesmo precisamos de esforço para percebê-lo. As pessoas ao nosso redor comentam conosco, e entre si, sobre essa nossa habilidade, tornando-se, elas, a afirmação de que não estávamos errados em julgar que somos realmente bons naquilo. Em outros casos, essas habilidades talvez não sejam tão visíveis aos demais, mas são bastante significativas para nós. E há, claro, aqueles casos em que apenas nós, e mais ninguém, julgamos ser bons em algo. Muitas vezes nos enganamos, julgando que nossa vontade de ser bons em determinada coisa seja o suficiente para de fato nos destacarmos naquilo. Bem... podemos tentar nos enganar em relação a isso, mas essa atitude não mudará os fatos. Acreditar que sou a melhor cantora do mundo não me tornará a melhor cantora do mundo, e poderei até ficar chateada quando as pessoas pedirem para eu parar de cantar no karaokê durante uma noite de festa com os amigos.

Tudo bem, talvez eu não seja mesmo uma boa cantora, mas certamente sou muito boa em alguma outra coisa, ou em várias outras coisas. O que definirá se me beneficiarei disso ou não será a minha capacidade de não insistir demais naquilo que não domino e aprender a reconhecer e dar mais atenção àqueles aspectos e àquelas coisas em que sou realmente muito boa. Não que eu precise parar de cantar no karaokê, mas talvez seja uma boa ideia eu não gastar tanto tempo e energia alimentando muitas expectativas em relação a isso. Em vez disso, uma boa ideia é eu dar mais atenção àqueles aspectos que domino a ponto de eles me darem liberdade o suficiente para eu fazer tudo o que quero, inclusive cantar no karaokê. Isso é obter o máximo de eficiência daquilo que dominamos.

A Gallup Organization, empresa especializada em pesquisa de opiniões, no livro *Descubra seus pontos fortes*, realizou pesquisas baseadas na psicologia dos pontos fortes desenvolvida pelo psicólogo Don Clifton, cujos resultados sugerem que as pessoas mais eficientes são aquelas que compreendem seus pontos fortes e comportamentos. Ainda de acordo com essa pesquisa, essas pessoas estão mais aptas a desenvolver melhores estratégias para atender e superar as necessidades da vida cotidiana, de suas carreiras e de suas famílias.

Esses resultados não são surpreendentes se considerarmos que essas pessoas têm mais facilidade em canalizar seus desejos e suas ações de modo a ter maior garantia de obtenção daquilo que desejam, pois estão seguras sobre suas limitações e, mais do que isso, suas capacidades. Nesse cenário, as limitações não recebem muita atenção, e essas pessoas se apegam mais às suas capacidades, utilizando-as para focar melhor seus objetivos sabendo que têm o conhecimento e a capacidade necessários para atingi-los. É por isso que é fundamental sermos capazes de reconhecer nossos talentos dominantes, pois eles são de grande importância para maximizar nossas melhores aptidões que levam ao sucesso.

E mais uma vez temos um círculo virtuoso, porque quanto mais a pessoa é ciente de suas aptidões, mais ela se "arrisca" em atividades e ações que se beneficiam dessas aptidões e mais sucesso ela tem nessas ações, e isso alimenta a autoconfiança, que alimenta o ímpeto para tentar coisas ainda não tentadas, o que, por sua vez, possibilita que essa pessoa descubra que é boa em mais coisas do que imaginava. Assim, o ciclo recomeça, alimentando a si mesmo em uma espiral de experimentação e sucesso com uma eventual necessidade de aceitação sobre aquilo em que não somos realmente bons. No entanto, estando com nossa autoconfiança bem calibrada, esses eventuais insucessos não nos abalam, pois estamos focados naquilo que podemos e sabemos fazer.

No livro *Descubra seus pontos fortes 2.0*, de Tom Rath, podemos identificar, por meio de um teste, os 34 talentos mais comuns encontrados após mais de 40 anos de pesquisas. Por meio dessa brilhante leitura, pude obter clareza sobre meus pontos fortes e, com isso, investir nas características que estavam alinhadas ao meu propósito de vida.

É claro que existem muito mais do que 34 talentos. O teste detecta os 34 mais comuns, e podem haver muito outros, incluindo aquele que você tem e que não está na lista. O que importa é que o teste mostra que é perfeitamente possível a qualquer um identificar seus pontos fortes. A partir daí, cabe a cada um de nós saber o que fazer com essa descoberta sobre nós mesmos, porque, se não formos bons o suficiente em vê-la como uma ferramenta para uso em nosso crescimento pessoal, ela não será nada além de uma informação obtida.

Estamos falando sobre o processo de autoconhecimento e, apesar de ele nos levar a descobrir coisas sobre nós mesmos das quais talvez não nos orgulhemos tanto, também é por meio dele que veremos novas, deslumbrantes e muito úteis novas facetas. Talvez elas nem sejam tão novas como pensamos, porque sempre estiveram lá, mas, por algum motivo, foram mantidas ocultas.

Muita gente é apta para experimentar, e esse é um ótimo talento, porque é por meio dele que muitos outros podem ser descobertos. Mas não ser bom em experimentar não significa que não devamos fazê-lo, afinal, esse é um daqueles raros talentos para os quais não há uma escala de medição de quanto se é bom. O ato de experimentar é indiferente ao sucesso ou fracasso que se obtém após a tentativa, e, em muitos casos, nem sequer é possível notar que a tentativa existe. Ou seja, podemos experimentar sem medo, porque a tentativa não nos exporá a nada além de uma nova possibilidade e, no melhor dos casos, é ela que nos apresentará a um novo talento, um daqueles que nem mesmo sabíamos que tínhamos. Eis aí mais um passo em direção ao autoconhecimento mais pleno.

Falar sobre talento no processo de autoconhecimento é um ponto fundamental. Conhecendo melhor a nós mesmos, somos capazes de conhecer nossos talentos, e assim teremos mais segurança para colocar em prática nossas capacidades, de modo consciente e intencional. É essa consciência sobre quais são os pontos em que nos destacamos que nos ajuda a definir muitos dos caminhos que trilharemos, seja no campo pessoal ou profissional.

Não é raro encontrar pessoas que se decidiram por uma carreira após descobrirem que são realmente muito boas naquele campo de atuação. Vejam bem, estou falando de pessoas que descobriram que são boas, e não de pessoas que apenas gostam de determinado campo. Podemos realmente gostar muito de algo, mas não ser bons naquilo, então, talvez não seja uma ideia bacana, apostar todas as fichas nesse algo. Há casos também de pessoas que são muito boas em determinada coisa ou função, mas não têm nenhuma intenção de se dedicar àquilo, e elas têm todo o direito a isso.

Tanto o talento que se torna uma obrigação quanto o desejo de fazer algo sem ter talento para aquilo não levarão ao destino desejado... na maioria dos casos, porque estamos falando aqui de talento sem levar em consideração o fator "entrega e dedicação". Mesmo os menos talentosos podem se tornar bons o suficiente em algo se esse algo for realmente um norte muito desejado, e essa obstinação é, por si só, um talento, e dos mais úteis.

Seja como for, esse processo de encontro traz um momento de reconhecimento de nossas habilidades. Baseados nisso, nos sentimos mais confiantes para trilhar um caminho sustentado por nossas competências mais evidentes, e isso é fazer o melhor uso possível de todo esse processo de autoconhecimento.

SENTIR PARA FAZER SENTIDO TORNA SUA JORNADA MUITO MAIS ENCANTADORA

> "Eles podem esquecer o que você disse,
> mas nunca esquecerão como você os fez se sentir."
> — *Carl W. Buehner*

Quando falamos em "jornada", somos levados a supor que há um fim, um ponto de chegada, um objetivo a ser alcançado. Isso pode ser verdadeiro em muitos casos e a força motriz por trás de muitas das coisas que fazemos. Mas não é o caso aqui, não em relação a nossa vida e ao que esperamos dela, porque, não importa por quanto tempo vivamos, sempre teremos um novo objetivo, nem que esse objetivo seja permanecer vivo por mais um dia. E essa é a grande beleza da vida: o constante movimento que fazemos por um caminho que não tem fim.

E, quando percebemos que a jornada é um processo contínuo, a vida se mostra com muito mais clareza.

Não há como não sermos vulneráveis diante de algo assim, algo que se movimenta o tempo todo e, na maioria das vezes, sem que possamos entender para onde e para quê. Existe esse fator incontrolável sobre tudo o que está ao nosso redor, o mundo, a própria vida. Podemos nos acovardar diante disso e apenas aceitar o que nos é apresentado ou encarar o fato de que, se não podemos mudar o mundo, podemos pelo menos decidir a direção de nossa vida. Não nos tornaremos menos vulneráveis por causa disso, mas certamente estaremos mais fortes para enfrentar o que vier pela frente, porque sabemos a direção que queremos tomar. É essa definição de caminhos a trilhar que nos ajuda a seguir sem medo, sem culpas e sem julgamentos. Quando definimos o que queremos e o caminho que trilharemos, a única certeza que temos é esta: a de que sabemos que direção queremos seguir. No mais, é tudo incerteza, e isso nos torna vulneráveis. Tanto a incerteza quanto a vulnerabilidade podem nos levar a cometer erros, o que talvez pareça assustador, mas não é, porque temos todo o direito de ser vulneráveis e de errar, afinal, estamos em movimento, experimentando, caminhando, seguindo, e sem manual de instrução nem mapas.

No livro *A coragem de ser imperfeito*, de Brené Brown, há uma passagem que diz: "As coisas mais preciosas e importantes chegaram em minha vida quando tive coragem para ser vulnerável, imperfeita e tolerante comigo mesma".

E é esta a ideia: sermos tolerantes com nós mesmos. Ninguém gosta de ser cobrado o tempo todo para que seja melhor ou faça as coisas do jeito que outras pessoas acham que devem ser feitas. Então, por que faríamos isso conosco? Já somos o nosso melhor neste momento. No futuro, seremos o melhor naquele momento e depois continuaremos a jornada, evoluindo para que nos tornemos sempre uma melhor versão de nós mesmos. E tropeçaremos, cairemos, faremos escolhas equivocadas. No entanto, a suposta perfeição só existe se houver um contraponto ao qual ser comparada. Um erro só é um erro se temos consciência de que o resultado obtido não é aquele que esperávamos. A nosso favor, temos a estrada infinita à nossa frente, pela qual podemos seguir experimentando e colhendo os frutos de nossos erros e acertos, pois é deles que somos feitos.

Esse é o movimento da vida e, até onde sabemos, ele é imutável. Fechar os olhos para ele, tentando fingir que não existe, tem como resultado nada além de insatisfação, porque a mutabilidade está em nós e não fora. O movimento tem de acontecer dentro de nós. Então, é chegada a hora de olhar querendo ver, percebendo e aceitando o movimento da vida, ao mesmo tempo que esse olhar deve se voltar para dentro, para nós mesmos, que, ao contrário, não precisamos aceitar onde estamos, porque estar em um lugar melhor é possível e é uma responsabilidade só nossa.

A partir de nossas escolhas, cabe a nós analisar com atenção nosso progresso nesse sentido e os resultados que estamos obtendo, para que façamos os ajustes necessários. Esse é também um movimento interno, porque o mundo não se ajustará a nós e às nossas vontades, o que torna fundamental que mergulhemos profundamente em nossa alma, restabelecendo a conexão com nossa verdadeira identidade. Só assim seremos capazes de fazer as melhores escolhas, com base em nossas verdadeiras necessidades, não naquelas que supomos ser as corretas por servirem bem a outras pessoas. Cada um de nós tem nossa própria verdade, e é a ela que devemos dar atenção. É a nossa verdade que servirá como indicativo de como viver o momento que se apresenta, porque os momentos são o que são, o que muda é modo como cada um de nós reage a cada um deles e às oportunidades decorrentes. E quando estamos seguros de quem somos e do que queremos, mais do que esperar que as oportunidades apareçam, nós as criamos, tirando o melhor de cada nova circunstância. Isso é ser autossuficiente, é o caminho para desenhar o próprio destino.

Infelizmente, muitas vezes não enxergamos essa verdade e continuamos presos em pensamentos e atitudes que em algum momento chegaram até nós vindos de fora. Eles não nos pertencem e não fazem sentido para nós, mas, devido ao comodismo e ao medo de parecermos desencaixados, nós os vamos aceitando e vivendo algo que não permite que sejamos nós mesmos. Esse é o maior impeditivo para que sejamos quem merecemos ser: apenas nós mesmos, nem mais, nem menos.

Ser quem merecemos ser é algo para agora, não para depois. Então, até quando deixaremos para depois as atitudes que podem mudar nossos comportamentos que nos incomodam hoje? Até quando permitiremos que a procrastinação vença diante de um mundo de possibilidades? E mais importante: por que agimos assim?

Eu sei que essa é uma decisão que cabe a cada um e que demanda empenho em transformar o que precisa ser ajustado. Porém, se detectamos que algo, de fato, precisa ser mudado, significa que já percebemos que não estamos satisfeitos com o que estamos vivendo, e isso, por si só, já é um movimento que nos impelirá a seguir adiante em alguma mudança. Se não fizermos isso, se não tomarmos a decisão de nos mover em direção a essa mudança que já notamos ser necessária, o incômodo se tornará ainda mais presente, o que, no fim das contas, nos obrigará a mudar. Ou seja, não há como lutar contra o que deve ser feito e, quando nos livramos da relutância em buscar pela mudança, percebemos o quanto poder viver essa liberdade é algo transformador.

Em meus atendimentos, percebo que muitas pessoas estão em busca de palavras de incentivo ou consolo.

Isso não é ruim, e todos nós em algum momento precisamos disso. Ainda assim, palavras não adiantam muito sem ação, e as palavras que mais têm a capacidade de nos mover são as nossas próprias, aquelas que moram em nossa cabeça. O que precisamos para agir é parar, ouvir a nós mesmos e sentir com toda a coragem que temos, pois os mecanismos da mudança estão dentro de nós. Somos nós, e apenas nós, que temos o poder de decisão de agir em busca da mudança necessária.

Ninguém conhece nossas capacidades melhor do que nós, e devemos estar abertos a reconhecê-las, pois elas são a ferramenta para a evolução. E, além das capacidades que reconhecemos em nós, provavelmente temos outras, que ainda não conhecemos porque ainda não nos pusemos à prova o suficiente. Por isso, devemos ser corajosos para tentar o novo, que, sim, nos apresentará novos obstáculos, mas estes, quando surgirem, serão a ferramenta para que exercitemos nossa capacidade de enfrentá-los e, com isso, descobrir mais possibilidades sobre nós mesmos.

Em grande parte, o que nos define são nossas atitudes, mais do que nossas palavras. Então, se queremos nos definir com mais precisão e de modo a sermos atendidos em nossos desejos, temos de ter atitude. Atitude diante do diferente, para que esse diferente passe a também fazer parte de nós, aumentando nossas possibilidades. E o diferente é a regra, porque vivemos em um mundo muito individual, muito particular, e essa percepção só pode ser experienciada por cada um de nós. Somos diferentes aos olhos dos outros, e os outros são diferentes aos nossos. Ou seja, as possibilidades são infinitas e estão apenas esperando que as abracemos.

Portanto, devemos estar atentos aos sinais do universo, seja por meio de um livro, uma conversa, uma sensação, uma reflexão ou qualquer uma das infindáveis possibilidades de interação. Devemos estar presentes, agindo com intencionalidade perante a mudança que desejamos.

Em seu livro *Grande Magia*, Elizabeth Gilbert cita uma fala do poeta Jack Gilbert para uma tímida aluna da Universidade do Tennessee que desejava ser escritora: "Você tem a coragem necessária? Tem coragem de trazer à tona esse trabalho? Os tesouros escondidos dentro de você estão esperando que você diga sim".

QUEM É VOCÊ?

Parabéns, você chegou ao último capítulo do livro e talvez agora esteja se perguntando: como coloco em prática tudo isso que aprendi?

Minha sugestão é simples, para não dizer óbvia: apenas comece.

Até aqui, o que houve foi reflexão. O que eu fiz foi mostrar os possíveis caminhos para que cada um de nós siga rumo àquilo que deseja. Foi um processo reflexivo, e, como tal, teve, e tem, a função de levar ao diálogo interno, porque é conversando com nós mesmos que descobrimos quem somos e o que queremos. Então, o que você descobriu nesse seu diálogo interno?

Gosto muito da expressão "reforma íntima", porque ela define bem o processo proposto aqui, que é o de melhorar aquilo em nós que pode ser melhorado e corrigir aquilo que deve ser corrigido.

Como sabemos, toda reforma demanda tempo, investimento e trabalho, e é pontuada por alguns imprevistos. E, claro, toda reforma começa a partir do momento em que percebemos que algo não está mais nos atendendo do modo esperado. Este é o primeiro passo: estar atento àquilo que está nos incomodando e que, para melhorar, depende apenas de nós. Depois disso, mãos à obra, porque percepção sem ação não nos tirará de onde estamos.

Agora, já com a mão na massa, percebemos que, para essa "obra" ser concluída, é preciso passar por vários estágios: planejamento, execução, ajustes, arrumação, limpeza e, finalmente, o dia da inauguração do nosso novo "eu".

Acontece que a obra da vida precisa de constantes manutenções, que vamos fazendo durante o caminho. Ou seja, jamais seremos uma obra completa, e é por isso que insisto em dizer que a grande beleza está na jornada, porque quem eu fui não tem obrigatoriedade de definir quem eu sou, muito menos quem eu posso me tornar. Não há uma linha de chegada, não há um objetivo definido, eis a beleza do processo de evolução. E esse processo que nos leva a sempre questionar sobre quem somos, o que nos dá condições de visualizar de modo abrangente qual nossa real condição no desafio que é viver uma vida valiosa e com propósito.

Daniel Goleman, em seu livro *Inteligência emocional*, afirma que temperamento não é destino. Ou seja, nós podemos e devemos ser nossa melhor versão todos os dias. Não estamos falando de regras, e sim de desejos, que, se atendidos, nos trarão aquilo que temos de melhor, para nós e para os outros.

Não se trata de uma fórmula racional. É o sentir da alma, é o encontro, é perceber o extraordinário que existe no aqui e agora e conseguir visualizar o quanto isso pode ser ainda melhor no futuro. É um processo pessoal, subjetivo e que faz sentido de modos diferentes para cada um de nós. Do mesmo modo, o estágio de despertar também se apresenta em diferentes momentos e por diferentes motivos para cada um. No entanto, esse não é um estágio distante, porque ele está dentro de cada um de nós e, para que o reconheçamos, são necessários acolhimento, clareza, presença e reconexão.

É isso o que somos: nosso despertar consciente. Isso é o que nos define, porque somos mais do que uma palavra ou frase dita sobre nós, por nós ou por qualquer outra pessoa. Somos muito mais ilimitados do que isso. Somos ações e reações, e assim vamos construindo uma história atrás da outra, percebendo os detalhes da vida acontecendo por meio do movimento e das experiências.

Viver não é teorizar, é ser parte integrante do universo. É entender a união entre você e o mundo, porque tudo é uma só coisa, algo muito maior do que a unidade a que nosso ego tenta nos prender. Não há separações, não há compartimentos, não há como ser um sem ser todos e o todo.

Não somos o que vemos, mas o que sentimos, e, para os sentidos (e sentimentos), não há limites. Quanto mais criativos formos, mais possibilidades acessaremos. E tendo mais possibilidades, mais poderemos criar, gerando uma profunda sintonia entre corpo, mente e coração. E, como sempre, nessa jornada não há certo e errado, apenas caminhos distintos que são percorridos por cada um de nós, mas que, no final, sempre nos levará ao encontro, às vezes com outros, e invariavelmente com nós mesmos.

Conhecer a nós mesmos é exercer o direito de ser nós mesmos, e conforme afirma Eckhart Tolle, conhecido autor de best-sellers sobre iluminação espiritual, não somos conteúdo, somos essência. Assim, já existimos antes mesmo de sermos preenchidos. A jornada, os caminhos que escolhemos, as lições que aprendemos, tudo isso serve para preencher e dar mais sentido àquilo que, por definição, já somos: tudo. E somos tudo em um mundo de possibilidades que nos permite exercer a autonomia que é nossa por direito.

Quando li o livro *Qual é a tua obra?*, do professor Mario Sergio Cortella, senti uma profunda inquietação e comecei a me questionar sobre qual seria meu propósito no mundo, na minha vida. Mais do que isso, me questionei profundamente sobre para quem minha obra seria importante neste mundo, além de para mim mesma, claro.

Esse questionamento ficou me acompanhando, como deve acontecer com qualquer questionamento que seja verdadeiramente transformador. Durante um de meus treinamentos, tive a feliz oportunidade de escrever a minha missão, que, com imenso prazer, compartilho com vocês:

"Eu, Alessandra Mendonça Vasques Ferreira, tenho como missão levar positividade ao mundo, mostrando de forma congruente que podemos ser nossa melhor versão todos os dias e que podemos encontrar nossa verdadeira identidade por meio do conhecimento, da capacidade, da sabedoria e do amor. Ciente de que cada pessoa tem seu propósito interior, estarei sempre disposta a contribuir com aquelas que quiserem se conectar com minha energia. Tenho como missão fazer com que meus filhos sejam pessoas mais amáveis, colaborativas, independentes e felizes nesse mundo. Tenho como missão despertar o melhor de cada um, transmitindo assim todo o bem que recebo."

Essa é minha missão, uma parte importantíssima de quem sou, para mim e para o mundo, pois, como disse o filosofo Cícero, "O sentido da vida humana é ser fator de soma para si e para os outros".

Então, como um último exercício, talvez o mais incrível de todos, sugiro que você também escreva sua missão, e que a viva, para que possa experimentar a maravilhosa sensação de saber quem você é, o que você quer e o porquê de estar aqui.

Esse é o presente do universo para todos nós. Sou imensamente grata por isso, e torço muito para que você também possa sentir essa gratidão. Portanto, entusiasme-se, porque chegou a hora de você escrever *sua missão*.

AGRADECIMENTOS

Com toda a certeza da minha alma, este livro não existiria sem a colaboração de muitas pessoas que, direta ou indiretamente, fazem parte da minha história.

Em primeiro lugar, eu gostaria de agradecer a Deus por ser a inteligência suprema do universo e, consequentemente, da minha vida.

À minha mãe, Ângela, que me ensina todos os dias o verdadeiro significado das palavras parceria e entrega. Obrigada, mãe, por ser meu porto seguro.

Ao meu marido, Eduardo Vasques, por acreditar em mim e dividir sua linda trajetória ao meu lado.

Aos meus filhos, por serem as minhas mais lindas obras.

Ao meu pai, Walter, por ser exemplo de dedicação e trabalho. Te amo todos os dias da minha vida.

A Cristina, por ser minha ouvinte ativa em meu processo de autoconhecimento.

Aos meus irmãos, Marcio, Mailon, Ana Carolina e João Vitor, por me ensinarem na prática o que é respeito ao próximo. Vocês são essenciais em minha jornada.

Na verdade, minha vida é repleta de pessoas incríveis, com quem tenho o prazer de conviver e trocar muitas experiências. Mas existe uma família que me acolheu, me ensinou, me fortaleceu, e hoje posso dizer que me deu a oportunidade de ser um ser humano melhor. Gratidão à G.E.A. Semeadores da Luz e, em especial, à minha mentora, Regina Célia, e a Tio Barreto.

Aos meus mentores de caminhada, Rivaldo Mendonça, Semíramis Moraes, Júlio Pereira, Mirian Pereira, Joel Moraes, Larissa Cieslak e Marcia Pádua, por tantos ensinamentos que me ajudaram a perceber o quão longe eu poderia chegar.

Aos meus familiares e amigos generosos que sabem como são importantes para mim. Vocês são fontes de aprendizados e memórias especiais. Sem vocês, eu não seria uma pessoa tão feliz e realizada.

Aos meus seguidores das redes sociais, pela troca, pelo carinho e por me incentivarem a estar sempre em busca de aprendizados constantes para dividir com vocês a magnitude da vida.

Esta obra foi composta em Sentinel Light 11,8 pt e
impressa em papel Pólen soft 80 g/m² pela gráfica Paym.